À Laurent P.

Le vertige des falaises

Du même auteur

Papa et maman sont morts
Point-Virgule, 1991 ; Point Seuil, 2012

Autobiographie d'une Courgette
Plon, 2002 – prix Générations (mairie du XVIIe à Paris) ;
J'ai lu, 2003 ; Flammarion, « Étonnantissimes », 2013

Au pays des kangourous
Don Quichotte, 2012 – prix Cœur de France 2012,
prix Roman de la ville d'Aumale 2012, prix des Lecteurs
de la bibliothèque Goncourt 2012, prix Folire 2012, prix Plume
d'Or 2013 (Plume libre – catégorie romanesque) ; J'ai lu, 2014

L'Été des lucioles
Héloïse d'Ormesson, 2014 – prix de la ville d'Aumale 2014 –
prix Rosine Perrier 2015 ; J'ai lu, 2016

Gilles Paris

Le vertige des falaises

roman

PLON
www.plon.fr

© Éditions Plon, un département d'Edi8, 2017
12, avenue d'Italie
75013 Paris
Tél. : 01 44 16 09 00
Fax : 01 44 16 09 01
www.plon.fr

ISBN : 978-2-259-25283-6

Marnie

Papa est mort. Je devrais avoir du chagrin, je n'en ai pas. J'irais bien jouer avec Jane, mais la main baguée de grand-mère Olivia m'emprisonne. Le vent, lui, me décoiffe, et des mèches rousses me rendent aussi aveugle que Jane. Je ne vois plus le trou béant dans lequel deux costauds de l'Île font descendre le cercueil d'où papa ne s'enfuira plus. Il n'aurait pas aimé être mort de son vivant. J'entends leurs efforts, ce lit en bois qui cogne sa nouvelle demeure sur laquelle nous allons lâcher une poignée de terre. Tout comme il y a un an, après la mort de grand-père Aristide. Ils sont enterrés l'un près de l'autre tels deux amis qu'ils n'étaient pas. C'est comme ça dans la famille. On ne pense jamais à haute voix, sauf au bord des falaises, là où le vent emporte tout. Je retiens mes mèches, ramasse de la terre rouge et la jette sur le bois vernis. Olivia retire vivement sa main. La bague m'a griffée, je saigne un peu. Les larmes glissent sous ses lunettes, ses rides les retiennent. Elle vient de perdre son fils qui n'aimait que les casinos, les voitures de sport et les jolies femmes. Je répète juste ce que j'ai entendu derrière les portes. Le vent se lève comme toujours sur cette Île, la terre tourbillonne au-dessus du cercueil. Olivia tremble. Je ne sais pas si c'est le chagrin ou le climat changeant de l'Île. Elle salue de la tête Géraud le médecin, et Côme le curé. Elle ne se risquera pas à les embrasser. Chez les Mortemer, on garde ses émotions pour soi. Elle vient d'attraper mes doigts, sans s'y accrocher cette fois, comme lors de nos promenades le long des falaises. On remonte lentement l'allée du cimetière, la maison des morts avec toutes ces tombes grisâtres où ont été ensevelis des hommes, des femmes et des enfants que je n'ai pas connus et pour lesquels je ne ressens absolument rien. Tout comme avec grand-père et papa. J'ai mes raisons. Olivia s'appuie sur mon épaule et fait peser son grand âge. En un an elle a perdu un mari et un fils. Je serais presque heureuse de rentrer à la maison si maman n'était pas si malade. On n'a pas besoin des hommes. Ils n'apportent que du malheur.

Olivia

La petite m'inquiète. Pas une larme pour pleurer son père. Elle n'est heureuse qu'au bord des falaises. Aucun d'entre nous ne s'y risquerait, car à certains endroits, la terre s'effrite et la chute serait inévitable. Le chemin qui bifurque après nos maisons longe ces hauts escarpements sur des centaines de mètres. S'y promener revient à laisser ses pensées vagabonder. C'est tout ce qu'il me reste aujourd'hui. Ces sentiers, et veiller sur Marnie qui n'a pas vraiment eu une enfance heureuse. Cette maison devient trop grande pour nous, mais je ne la quitterai que morte. Au moins nous sommes à l'abri, la fortune d'Aristide est aussi vertigineuse que ces à-pics. Marnie, plus tard, pourra rejoindre le Continent et partir vivre où bon lui semble. Elle découvrira l'Afrique et la Californie où j'ai vécu avec Aristide, il y a bien longtemps. Mais je suis sûre que cette tête de mule ne voudra pas voyager. Elle est comme moi, l'Île est notre ancre. J'y suis née, j'y disparaîtrai en famille avec nos vilains secrets. Prudence veillera sur Marnie, je n'en doute pas. Elle aussi aura sa part d'héritage. Prudence, qui nous protège et nous regarde sans rien dire avec ses yeux bavards. Je sais qu'elle n'aime pas vraiment Marnie, elle a toujours été mal à l'aise avec les enfants, à part

Luc. Il faut dire que Marnie n'est pas une enfant facile. Elle désobéit souvent. Et je ne parle pas de ses fugues où elle disparaît plusieurs jours sans donner de nouvelles comme si nous n'étions rien pour elle. Cette Île regorge de granges désaffectées, où Marnie se terre en attendant que la colère se calme, que les vents s'apaisent, que son cœur cesse de battre aussi fort, que tous les démons qui mènent la danse s'épuisent enfin et la ramènent à Glass.

Marnie

Mon nom est Marnie de Mortemer. J'ai quatorze ans. Mon pays n'a rien à voir avec celui des Merveilles. Sur un globe terrestre, il n'apparaît pas. Même pas une tête d'épingle ! C'est dire si on est insignifiants. Et pourtant mon Île me ressemble et je ne m'en irai jamais. Nous sommes aussi imprévisibles l'une que l'autre. Nos maisons ont été construites par grand-père Aristide au-dessus des falaises. Prudence et sa fille Jane se sont installées dans la plus petite, une maison sans étage, avec une porte d'entrée identique à la nôtre, à l'opposé des falaises pour éviter que le vent d'hiver ne les fasse voler en éclats. La mienne s'élève sur deux étages et mène au grenier avec de vieux meubles et des malles remplies de déguisements. Maman, avant de tomber malade, adorait se masquer et nous surprendre au dîner, imprégnant la salle à manger de son parfum d'encens. Elle apparaissait en Marie-Antoinette ou en Scarlett O'Hara, juste pour énerver mon abruti de père qui n'avait rien d'un Rhett Butler. Je sais de quoi je parle, j'ai regardé tous ces films plusieurs fois avec maman. Je m'appelle même Marnie à cause d'un film du gros chauve Alfred Hitchcock. Quand Rose descendait l'escalier en héroïne de film, j'étais la seule à l'applaudir avec Olivia. Grand-père fumait son cigare. Papa restait figé, presque gêné, comme si maman était descendue nue, seulement parfumée du petit flacon noir. Et malgré les efforts de maman, il quittait la table avant le dessert et ne revenait, au mieux, qu'au petit déjeuner où il empestait l'alcool. Parfois il flottait une senteur encore plus écœurante. Une femme du Continent dont on ne savait rien, là où les hommes perdent la tête, pour une partie perdue au casino qu'ils oublient dans les bras d'une pute. J'ai dévoré suffisamment de films pour savoir tout ça. Vivre sur une Île ne vous coupe pas des réalités. Bien au contraire.

Marnie

Glass est une maison tout en verre et en acier. Grand-père l'a fait construire quand il vivait en Afrique avec grand-mère et Prudence. Je n'étais pas encore née. Un maître d'œuvre s'est installé toute une année sur l'Île pour surveiller les travaux. Grand-père a accompli plusieurs voyages pour voir la maison grandir, comme papa l'a fait avec moi plus tard. Le squelette de la maison est une ossature en acier. Celle de Prudence aussi, sans étage et sans nom. Grand-père a découvert ces habitations en verre lors d'un voyage aux États-Unis en Californie dans les années soixante. Trois fois par an, un ancien alpiniste qui vit sur le Continent nettoie, attaché à une corde, ces parois de verre verticales, rattachées à l'acier par des boulons gros comme un jeu de Meccano. Dans toutes les chambres, des rideaux lourds et épais ont été suspendus à des câbles pour éteindre le jour. Le sol est un parquet blond où il fait bon marcher pieds nus, surtout dès l'automne où il est chauffé. Les meubles sont en chêne foncé. Des dizaines de lampes diffusent le soir une lumière mordorée. De profonds canapés ont été recouverts de plaids en coton blanc. Des statues africaines aux corps difformes surgissent dans les recoins. Je les évite, elles m'effraient trop. Été

15

comme hiver, Glass est incroyablement lumineuse. On se croirait en pleine nature, à toucher les arbres, les plantes et les fleurs sauvages. Le soleil nous éclaire dès que les feuilles tombent des branches, et le prolongement du toit nous en protège aux premiers beaux jours. La pluie et les orages très fréquents sur cette Île s'abattent sur le verre et jouent une étrange musique à laquelle on s'habitue avec le temps. Un peu comme des maillets en mousse frappent un xylophone, un son à la fois cristallin et étouffé. Les façades des deux maisons ont un triple vitrage qui adoucit tous les fracas de l'extérieur. Même la foudre semble lointaine. La partie basse de Glass a été rehaussée sur pilotis à cause du terrain friable près des falaises, ainsi que la maison sans nom de Prudence. Pendant la construction, grand-père m'a raconté que toute l'Île s'est rassemblée devant l'invraisemblable. Le maître d'œuvre a chassé aussi les gens du Continent en jetant des pierres sur leurs appareils photo. Aristide, lui, les a menacés de sa carabine. Ce qu'il a considéré comme sa folie a attiré des centaines de curieux qui n'hésitaient pas à envahir ses terres pour s'approprier ce qui n'avait jamais encore poussé sur l'Île. Grand-père ne risquait rien, le poste de police le plus proche est sur le Continent. En cas d'urgence, ils viennent par hélicoptère, comme le lendemain où papa est mort. Du temps de grand-mère, trois gendarmes occupaient une petite maison en briques près de l'embarcadère. Ils sont partis, quand la population de l'Île a chuté. Il n'y a pas d'hôtel, non plus, ni de chambres d'hôtes, et très vite les habitants se sont habitués à cette fabrication du diable. Rien ne ressemble à Glass. Toutes les fermes aux alentours s'étirent comme de gros matous paresseux. Du haut des falaises, elles ressemblent au L ou au U de l'alphabet. De la brique, du béton, du ciment, du bois, et des toits en ardoise. Des granges abandonnées depuis que la plupart des travailleurs

ont fui sur le Continent ou bien au-delà. Une Île déran-
gée par l'excentricité de mes grands-parents comme un
crachat à leur face rougeaude. *L'œuvre du diable*, comme
se sont habitués à murmurer les vivants de l'Île. Un palais
de verre bâti au sommet des falaises comme un défi à la
nature. Moi, je me fiche de ce que peuvent bien penser les
autres. Je suis heureuse dans cette maison qui n'en est pas
une. J'ai toujours l'impression d'être dehors quand j'y suis.
Bien sûr, il me manque le toucher de l'écorce, la poussière
sous mes baskets, l'odeur si tenace de l'herbe coupée, les
fleurs sauvages arrachées à la terre de l'Île et ranimées en
bouquets pour maman et Olivia. La nature même adore
Glass. Le ciel s'y regarde toute la journée et arrange ses
cheveux bleus, gris ou noirs. Le soleil chauffe le verre, la
pluie cogne à la vitre mais nul ne l'invite à entrer. La vie
aurait pu y être douce. Les hommes n'apportent rien de
bon, et personne ici ne dira le contraire. Je sais des choses
pour mon âge. Sans doute parce que je colle trop souvent
mes oreilles aux portes fermées et mon œil aux serrures.
J'aimerais juste qu'un homme entre dans cette maison, et
qu'il ne soit ni le docteur Géraud, ni Côme le curé, ni
Manos le coiffeur de grand-mère, ou même l'alpiniste.
Un garçon rien que pour moi et qui aurait autre chose à
proposer que le malheur.

Marnie

J'ai levé les yeux au ciel en marchant avec grand-mère. Cela me donne le vertige, l'impression que cette Île m'appelle. Je marche à son pas, je suis aussi vieille qu'Olivia. Mais pas aussi triste. Ce bon à rien de papa a trouvé enfin une boîte à sa mesure. Il n'en sortira plus. Il ne reviendra plus jamais à la maison pour en repartir aussitôt. J'ai hâte de raconter tout ça à Jane. Je n'aime pas trop m'absenter longtemps de la maison à cause de maman qui ne quitte plus sa chambre. Tout ce malheur, c'est beaucoup pour moi parfois, alors je disparais comme un fantôme. Mais je sais qu'en revenant Rose sera là. Elle ne peut plus s'enfuir. De toute façon elle en a toujours été incapable. Depuis l'inondation, elle a épousé Glass. Le docteur Géraud dit que le cancer ne peut pas guérir. Les rideaux de sa chambre sont toujours rassemblés, elle ne supporte plus la lumière. Glass est devenue son caveau. Je lui monte ses plateaux que je prépare avec Prudence. Grand-mère sait combien ça compte pour moi. Je coupe tout en petits morceaux, même la salade. Je lui sers un verre de vin, même si elle ne doit pas en boire. Je m'assieds au bord de son lit. Pose le plateau à côté de moi. Je l'aide à se redresser sur ses oreillers, maman grimace et sourit en même temps pour me faire croire que tout va bien. Mais nous savons toutes deux que rien ne va plus. Comme papa, au casino, avant de perdre, qui nous l'a suffisamment répété. Dans la pénombre de sa chambre, où j'ai juste allumé la petite lampe de chevet près du lit, je devine sa pâleur comme si je pouvais traverser son visage ou son corps avec ma main.

— Alors, Marnie ?

— C'est fini. Pour de bon. Il faut que tu manges un peu.

Pour m'être agréable, maman attrape une feuille de salade, enfin, ce qu'il en reste, et l'avale tout rond. Puis elle s'enfonce dans ses oreillers comme si tout cela l'avait épuisée.

— Maman ! je gronde.

Rose ouvre les yeux et soupire. Elle tend sa main vers l'assiette et la referme sur une aile de poulet. Plus personne ne va s'envoler de toute façon. Depuis qu'elle est malade, maman refuse de se servir des couverts. Elle dit qu'elle en a assez des bonnes manières. Je prends la brosse sur la coiffeuse et me peigne les cheveux. Je ne sais pas pourquoi je fais ça, ils sont bien trop emmêlés par le vent pour le faire toute seule et Rose n'a plus assez de force pour soulever ne serait-ce qu'un peigne. Puis je me glisse dans le lit tout habillée avec mes baskets toutes crottées. Maman a raison. Au diable les bonnes manières. Elle ne discute pas. Elle passe son bras sur mes épaules tandis que je me blottis contre elle. Je pourrais rester toute la nuit, toute la vie, comme ça, contre elle. Mais grand-mère m'en empêcherait. Ces moments de bonheur avec Rose ne doivent jamais durer trop longtemps. J'embrasse maman sur la joue. Elle sent l'église, je lui pardonne. Je l'aime à la folie et qu'une seule marguerite ose me dire le contraire.

Olivia

Il est temps de poursuivre ce journal, de laisser une trace derrière moi pour Marnie, plus tard. Je suis vieille et en bonne santé, je veux dire ce que je tais depuis trop longtemps. Et me rappeler. J'ai de beaux cheveux courts, gris argentés. Manos, un coiffeur du Continent, s'en charge tous les mois depuis trente ans. Ils étaient bruns, autrefois, et longs. J'y attachais un crayon à papier et les ramassais en un chignon bohème. Les hommes en étaient fous. J'ai toujours ce regard vert qui pénètre les êtres et farfouille leurs âmes tourmentées. Personne n'ose me mentir. Sauf Aristide. C'est pour ça sans doute que je l'ai épousé. Je m'attendais à être surprise. Je n'ai pas été déçue. Même le soir de sa mort, Aristide semblait en forme quand il s'est écroulé dans la bibliothèque. Certes Géraud Delorme a relevé un fond de whisky dans sa tasse de thé, mais ce n'est pas ça qui l'a tué, ni son diabète. Son cœur s'est arrêté de battre. Son cœur de salaud qui m'a longtemps laissé penser qu'il n'en avait pas. Une belle soirée en perspective pourtant, où Prudence nous avait préparé ce rôti à ma demande. Un rôti auquel nul n'a touché. Marnie s'est inquiétée la première alors que nous rentrions d'une promenade. Grand-père ne se réveillait pas. Elle

20

l'a même pincé au bras, cette petite. Dommage qu'elle ne l'ait pas fait de son vivant. Prudence, constatant à son tour qu'il ne réagissait plus, a appelé ce bon Géraud que je connais depuis ma jeunesse ; nous allions à l'école de l'Île ensemble. J'ai envoyé Marnie se coucher, ce n'était pas de son âge. Ma voix porte toujours, personne n'y résiste, sauf Marnie parfois, Luc et mon mari bien sûr, mais plus jamais je n'aurai à élever le ton sur eux, c'est fini. Je viens de rajeunir ma charpente de septuagénaire. Les hommes sont des enfants qui grandissent malgré eux. Et Dieu sait combien leur bêtise est sans limites. Certes, ils ne cassent plus de jouets. Ils brisent le cœur des femmes.

Marnie

J'ai donné rendez-vous à Jane dans la grange du docteur Géraud. En glissant un mot sous le pot de terre, près du jardin des pensées, comme on le fait souvent. Ici dans l'Île, les téléphones sont fixés au mur des cuisines. Peu de gens ont un portable, à part ceux qui travaillent sur le Continent. Aucun enfant en tout cas n'en possède. Et comme dit grand-mère, quand je l'implore avec mon sourire de rousse : « C'est non négociable. » Rien de semblable sur le Continent, bien sûr, où les ados ont tout ce qu'il faut, et des consoles de jeux aussi, il paraît. Je n'aime pas le Continent. D'ailleurs je n'y suis jamais allée. Je n'aime que mon Île. Je suis seule, je marche d'un pas rapide, je n'ai peur de rien ou presque, ni de qui que ce soit. Après les falaises, le chemin descend pour rejoindre la plaine et les granges. Il suffit de se balancer aux arbres et d'épouser la terre sous son pied nu. Le paysage change. Les plaines s'étendent, jardins d'herbes hautes dans lesquelles on peut se cacher et surveiller le vol des oiseaux marins. Ou s'allonger et deviner le ciel de mon Île toujours nuageux, parfois bleu, rarement étoilé. Je pense que les morts ne sont pas sous terre. Ils s'envolent comme ces macareux moines nichés dans les murailles, et colorent la cendre du ciel d'où grondent toutes les menaces, les pluies, les orages et le vent qui vous emporte. Passé les herbes hautes et jaunâtres, il faut marcher encore deux bons kilomètres pour rejoindre la grange de Géraud. Un bâtiment inutile et vide. Plus grand que sa maison, connue pour être la plus petite de l'Île. Prudence dit qu'il y dort, et encore... À part nous, les Mortemer, tout le monde est fauché sur cette Île. Et parfois je ne suis pas la bienvenue dans certaines fermes. Je l'ai appris à mes dépens quand j'étais plus petite. On me disait bâtarde et riche comme Crésus. N'importe quoi. J'ai regardé dans un dictionnaire pour ne pas avoir à le demander à la maison.

— Tu n'as besoin de rien, toi. Tu as tout ce qu'il te faut, hein, la bâtarde !

Ce n'est pas vrai. J'ai besoin de tout au contraire, de l'air que je respire, du ciel quelle que soit sa couleur. Et surtout que maman guérisse. Mais ça, aucun mortel ne m'en parle. Sauf Jane. Je m'allonge sur le béton qui raidit le dos. Je regarde le toit en tôle qui brille comme du papier aluminium. Le soleil entre par les trous édentés. C'est magnifique. Des rais de lumière balaient la grange comme un spectacle qui n'aura jamais lieu. Je sens la présence de Jane à mes côtés. Elle m'a trouvée. Elle est incroyable. J'essaie parfois de parcourir ce chemin que je connais par cœur en fermant les yeux. Je veux être Jane et plonger dans les ténèbres. Mais Jane me dit que son monde n'a rien de sombre, que je me trompe. Elle imagine les couleurs, elle se les approprie, tout comme les odeurs, le toucher, l'intuition. Jane devine tout, parfois même mes pensées. Je lui raconte le cimetière, les fleurs séchées, couchées à même le sol, dans leur vase souvent renversé ou brisé par le vent qui joue avec. Je lui dis qu'à cet endroit-là, la terre est rouge comme si le sang des morts s'en était imprégné. Je parle des tombes grises et noires, des inscriptions en or, des médaillons, des croix du Christ. Je murmure la tristesse du lieu, les larmes qui coulent et le vent qui ne respecte rien. Jane soupire et souffle à mes oreilles.

— Heureusement qu'il est là le vent, tu sais. Je n'irai jamais au cimetière, Marnie. Même si maman un jour y est enterrée à son tour. J'ai trop peur que les morts profitent que je sois aveugle pour me faire ressentir leur désarroi.

— Tais-toi, je dis. Regarde les rayons de soleil traverser ce hangar et nous chauffer la peau.

— Je n'ai pas besoin de les voir, je sens leurs doigts pianoter sur mon visage.

Je m'accoude près de Jane. Ses yeux sont fermés quand elle se couche ; ses bras, allongés le long de son corps. Elle porte des baskets, un jean, un tee-shirt sous son pull bleu. C'est ma meilleure amie, ma sœur de cœur, elle est plus belle que moi. J'envie sa beauté blonde sans être jalouse. Un jour, peut-être, on partira ensemble. Loin. Bien au-delà du Continent. Et on n'aura besoin de rien, ni de personne.

Olivia

La petite a encore disparu. J'ai cessé de m'inquiéter car elle revient toujours. Elle me sourit chaque fois, comme une excuse, elle a de la paille dans ses cheveux et je n'exige pas de savoir où elle est allée. Je le sais. J'essaie de ne pas lui montrer à quel point elle me rappelle mon enfance où je m'endormais dans les granges sans me soucier de l'heure. Mais à cette époque, on n'était jamais seul bien longtemps. Un ouvrier me réveillait d'une main sur l'épaule ou parfois d'un coup de botte pour les plus téméraires. Le travail des champs reprenait, je filais chez mes parents où j'avais droit aux gros yeux de ma mère bien pires qu'une dispute. Je n'étais pas aussi libre que Marnie et parfois je me demande si je l'élève bien. Je n'ai pas vraiment su m'occuper de Luc, je me dis que Marnie est peut-être une seconde chance pour moi. Cette petite a toujours été curieuse. Combien de fois l'avons-nous oubliée sous la table avec nos conversations d'adultes dont elle récupérait les miettes ? Sans compter toutes ces portes derrière lesquelles elle restait cachée, ses taches de rousseur comme autant de points finals à nos discussions. Mon cœur bat un peu plus fort quand elle est là. Elle est devenue ma raison de vivre. Je n'aurais jamais cru cela possible, moi qui n'en avais plus vraiment. Elle est le soleil qui entre dans ma chambre, le ciel et ses douces couleurs en fin de journée, l'été. Son intelligence est vive, imaginative, et Marnie ne se laisse pas mener par le bout du nez. Une Mortemer digne de ce nom. Juste une fois, elle est allée trop loin, c'était il y a deux ans déjà. Un compas planté dans le ventre d'un garçon à l'école qui n'avait rien fait sinon la regarder trop fixement. Le fils du pharmacien a été transporté d'urgence sur le Continent. Le père a porté plainte et l'avocat d'Aristide s'en est chargé. Parfois l'argent arrange bien les choses. Je sais que cette école, qui m'appartient aujourd'hui, n'est pas toujours tendre envers Marnie. Je l'ai gardée toute une semaine à Glass, privée de sorties ; je n'ai pas eu le cœur à la punir autrement. Elle s'est occupée de Rose, comme une récompense à sa mauvaise action. Elle a participé à sa toilette, et je l'ai laissée dans la chambre de sa mère autant qu'elle le voulait. C'est le sang des Mortemer qui est ainsi, bouillonnant comme la lave, ou froid comme la glace. Et je sais de quoi je parle. Je n'aurais jamais accepté sinon ce que mon cher mari m'a fait endurer ces trente dernières années.

Marnie

Je n'entre jamais chez Prudence. Je laisse Jane à sa porte. Sa mère ne la disputera jamais pour une fugue, ni pour rien d'ailleurs. On ne punit pas une aveugle. Prudence prend sa fille par la main, l'autre me dit de foutre le camp. J'ai l'habitude. Je sais que Prudence ne m'aime pas. Elle pense que j'ai une mauvaise influence sur sa fille. C'est faux, je suis la seule à comprendre Jane et je la traite comme la meilleure de mes amies. Je m'en fiche qu'elle soit aveugle. Unijambiste, je l'aimerais autant. Je l'assoirais dans un chariot, elle et sa guibole, et l'emmènerais à un train d'enfer à travers les herbes hautes. Une fois, grand-mère m'a punie, à cause d'un carrelet planté dans le ventre mou d'un garçon qui me fixait avec ses yeux bleus. Je n'aime pas qu'on me fixe sans permission. J'ai dû aider Prudence pour la toilette de maman. J'en rêvais. J'avais l'impression en tirant son bras hors de l'eau d'attraper une de ces porcelaines fragiles qui ont disparu de la chambre de grand-mère. Je l'ai frictionnée longtemps avec la grosse éponge qui sentait bon le savon parfumé au miel. Prudence me regardait faire. Pour une fois ses yeux ne me jugeaient pas. Maman était nue sous l'eau du bain. Parfois, je voyais un sein surgir sans que personne s'y intéresse à part moi.

— Petite, tu t'y accrochais, a fini par dire Prudence.

Maman a souri. C'était la plus jolie de toutes les punitions que j'aie jamais eues. J'ai pu frotter ses bras, ses jambes, son dos. Prudence l'a aidée à sortir de l'eau du bain, avant de l'envelopper dans une serviette. Je patientais dans la chambre à sa demande. Je les observais toutes deux dans le reflet du miroir de la porte, tandis que je préparais son lit. Maman m'aurait priée de quitter l'Île ce jour-là, je serais partie avec elle. Mes paumes gardaient en souvenir le creux de ses yeux fermés, l'arête de son nez, sa bouche légèrement entrouverte qui avalait un peu d'eau savonneuse. Je baignais la préférée de mes poupées, la géante et vivante qui me souriait quand je contemplais son sein. Je crois même que ce jour-là, pour la première fois, j'ai rougi en entendant Prudence dire que je m'y accrochais petite. Je n'ai jamais été gentille avec Prudence. Et pas besoin d'écouter derrière les portes pour savoir qu'elle aimait mon grand-père. Elle le dévisageait toujours comme un chien de fermier attendant son os à ronger. Enfin, tout ça c'était bien avant qu'il meure. J'ai des cheveux incendiés, des taches de rousseur partout, et des yeux verts qui changent de couleur selon mes humeurs, tout comme grand-mère et maman. Autant dire qu'ils sont rarement verts. Personne n'est roux chez nous, alors je suis peut-être une bâtarde. Mais j'ai les yeux de Rose. Et quand je les massais avec mon éponge, je rêvais qu'ils s'ouvrent sous mes caresses et qu'ils se noient dans les miens. De toute façon, depuis qu'elle est malade, les yeux de maman ne sont plus jamais verts et les miens non plus. Et ce que pense Prudence, à dire vrai je m'en fiche. Les adultes pour moi sont aussi rigides et secs que les bûches entassées dans la remise. Ce n'est que lorsqu'il craque et s'enflamme que ce bois-là m'intéresse. Sinon, c'est juste un tronc et rien d'autre. Il n'y a que ma famille pour me surprendre. J'ai à peine connu mon père, tant il était absent, à croire que maman ne l'intéressait plus. Mais je sais que les choses sont plus compliquées dans ce monde-là qui n'est pas le mien. Je me suis parfois demandé pourquoi papa aimait autant les voitures de sport et les casinos.

— Tout ce qui brille d'insignifiance, dit grand-mère comme unique réponse.

Je me souviens de maman grimpant dans une de ses rutilantes nouvelles voitures, un bolide où il fallait disparaître sous une cagoule et de grosses lunettes une fois décapoté. Un modèle unique. Une Jaguar XK 120 dont papa était très fier. Une voiture à deux places où je n'avais pas la mienne, même si j'ai eu le droit de m'asseoir une fois à côté de lui, à l'arrêt, ce qui m'a permis de m'en souvenir pour toujours.

— Une six cylindres en ligne, tu te rends compte, Marnie ! Un moteur à double arbre à cames. Même si les freins à tambours chauffent rapidement, ce bolide de 1948 peut atteindre 192 kilomètres. Sache que tu es assise sur le légendaire cuir Connolly qu'on peut admirer dans les anglaises les plus prestigieuses, Aston Martin, Bentley et Rolls-Royce.

Non, je ne me rendais compte de rien. Sur l'Île, pas une seule route ne lui aurait permis de rouler aussi vite. Je me fichais bien d'un cuir légendaire où je ne me suis assise qu'une seule fois. Je préférais mes arbres, leur écorce, leur tronc contre lequel je me serrais, les jours où rien n'allait. Avec papa, il fallait saisir sa chance. On n'était jamais certains de le revoir. Maman aussi adorait la vitesse. Avant que le cancer ne lui enlève toute idée de vie au galop. Je guettais leur retour assise sur les marches du perron, ma tête bien sage entre mes mains. Parfois j'empruntais la cagoule et les lunettes et je prétendais tenir un volant. Le cuir de l'escalier n'avait rien de légendaire mais je m'y plaisais. Ils revenaient du casino où ils avaient tout perdu. Mais le sourire de maman était aussi étincelant qu'une rivière de rubis comme en portait parfois grand-mère quand j'étais petite. Pourtant, je ne me réjouissais pas. Quand papa contournait sa Jaguar pour ouvrir la portière de maman, je savais qu'il repartait, lui seul, vers ce casino flambant du Continent. Sitôt à Glass, la rivière de rubis disparaissait aussitôt, c'est à peine si maman m'embrassait au passage, pleurant et riant en même temps, ses yeux fâchés et ailleurs, incapables de se poser, deux papillons affolés par toutes ces lumières qu'elle laissait derrière elle. Elle montait dans sa chambre, claquait sa porte comme on donne une gifle aux heures qui passent trop vite. Avant de rejoindre la mienne, j'éteignais toutes les lumières du perron, de l'entrée, du couloir, de l'escalier et de l'étage. Qui l'aurait fait à trois heures du matin, à part moi, pauvre pomme même pas croquée tombant de sommeil d'avoir tant résisté.

Marnie

Je peux être méchante. J'enfonce un compas dans le ventre du fils du pharmacien pour mieux le connaître. Je n'aime pas me laver et porter des vêtements différents. Je ne souris jamais et encore moins sur demande. Uniquement à maman dans la pénombre de la chambre, et c'est bien trop sombre pour qu'elle devine ce qui ressemble davantage à une grimace. Quand on s'étale avec Jane sur l'herbe, près du bord de la falaise, je souris au plafond, qu'il soit bleu, gris ou noir. Je sais que le ciel s'en fout, à part ses rayons de soleil qui cuisent ma peau de rouquine. Je prends une douche tous les matins à cause de Prudence, statufiée derrière la porte de la salle de bains et qui parfois l'entrouvre pour vérifier que l'eau ne coule pas pour rien. Je suis née sur cette Île, je n'ai jamais froid, même quand le vent noue mes cheveux fauves. Je vais à l'école à pied en prenant le chemin qui descend le long des murailles. Je longe la plage où je me baigne nue l'été avec Jane. Je grimpe les rochers, suis la route sur un kilomètre et rejoins la seule école de l'Île. J'ai refusé d'aller au collège sur le Continent. Je ne voulais pas être séparée de Jane et grand-mère a cédé pour ne pas me rendre plus malheureuse que je ne le suis. Je sais que

31

l'école lui appartient, on me le rappelle assez souvent. Je dis bonjour quand ça me chante ; je ne vois pas pourquoi je souhaiterais une bonne journée à tous ces abrutis de l'Île. Le reste du temps, je baisse la tête, c'est suffisant. Je suis aussi aveugle que Jane. Ou presque. Je choisis ceux que je regarde. Je suis la petite sauvage de l'Île qui n'obéit qu'à maman, grand-mère, et parfois Prudence. Souvent au professeur, madame Belgrade, il faut bien apprendre. Et encore, je ne réclame pas la permission quand je fugue plusieurs jours dans ces granges où plus aucun fermier n'entrepose les meules de foin. Je rêve de maman quand elle riait aux éclats et irradiait la pièce de sa seule présence. Quand elle se costumait juste pour moi, sa perruque de travers. Quand elle me prenait les mains pour danser dans sa chambre avec son poste grésillant et que nous perdions l'équilibre, ivres de vitesse. Couchée au sol, elle me serrait dans ses bras si fort que j'avais du mal à respirer. Je serais morte tout contre elle, étouffée, mais heureuse. Mais elle me relâchait, me chatouillait, m'embrassait la paupière – ce qu'elle appelait le baiser papillon, et me reprenait collée-serrée. Je sentais la chaleur de son corps, je me disais que je n'aurais plus jamais froid de toute ma vie en pensant à ça.

Olivia

Le miroir de la coiffeuse me renvoie l'image d'une vieille dame trop soignée. Je donne bien le change. Avant, je détachais les barrettes et défaisais le chignon bohème avec mes doigts. Mes cheveux retombaient sur mes épaules. Je les peignais fortement pour les lisser et les rendre brillants. Aristide adorait m'épier du lit, tout en feuilletant un journal, et fumant ce cigare qui empestait jusqu'aux draps. Le miroir me dit que plus personne ne m'observe maintenant, à part moi et Marnie qui, parfois, entre sans frapper.

J'ai connu Aristide à Zanzibar. Il était l'architecte de l'hôtel où je séjournais avec ma sœur Adélaïde. Nous avions réussi nos études de droit, nous nous préparions à devenir avocates. Nous profitions de cette escapade au bord de cette plage immense et déserte quand la tête d'Aristide est apparue sous le parasol qui nous protégeait du soleil. Il nous a demandé si nous aimions cet endroit et s'est présenté aussitôt :

— Aristide de Mortemer, architecte de ce palace.

Adélaïde a souri. Aristide, en maillot de bain, portait un bonnet bleu sur la tête, bras et jambes aussi blancs que la craie. L'eau ruisselait sur son corps et formait à ses pieds deux petits bouddhas flasques. Je me suis redressée sur mes coudes, portant inutilement ma main en visière sous le parasol, et je lui ai proposé de s'asseoir sur le bord de mon transat, en prenant soin de relever mes jambes déjà dorées par le soleil. Je ne me souviens plus de quoi nous avons discuté exactement. Je suppose du beau temps et de l'architecture de ce petit paradis, mais je me rappelle qu'Aristide est resté longtemps assis, assez pour attraper un coup de soleil dans le dos, aussi écarlate qu'un rubis, ma pierre préférée. Nous avons fait de longues balades sur la plage ou en bateau, sa brûlure s'est étendue en un bronzage hâlé. J'étais heureuse de cette rencontre sans penser à l'avenir. Adélaïde nous accompagnait parfois, et quand elle me glissait à l'oreille « Cet homme est pour toi », je me contentais de hausser les épaules. Je profitais de ces vacances que je n'avais pas prises depuis long-temps. J'ai dû parler de l'Île, alors que nous étions loin de la côte, et combien elle me manquait. J'ai parlé des falaises vertigineuses, des guillemots de Troïl, ces oiseaux capables de pêcher à plus de cent mètres de profondeur, du village niché derrière les bois enchanteurs, de l'église dressée comme un phare, et combien j'aimerais y finir ma vie. Aristide a trouvé que j'étais bien jeune pour penser à tout ça, puis il a souhaité savoir si des maisons avaient été construites au-dessus des falaises.

— La mienne, ai-je murmuré.

Notre histoire a commencé ainsi, et pourtant, à cette époque, je ne savais presque rien de lui. Nous avons échangé notre premier baiser sur le terrain de l'Île que nous allions acheter plus tard pour y construire notre mai-son. À l'emplacement exact où j'avais vécu. Mes parents étant morts, j'ai hérité de cette grande ferme qui a été entièrement rasée pour y bâtir Glass. Je suis restée à l'étranger durant tout ce temps. J'aurais dû me méfier de tout ce passé réduit en poussière. De ce palais de verre et d'acier qui s'élevait sur les décombres de ma jeunesse. La force de ce premier baiser m'a appris que je n'étais pas tombée sur un homme singulier. L'image du bonnet bleu et du corps blanc ruisselant n'allait pas tarder à disparaître.

Marnie

Je monte embrasser maman avant de partir pour l'école. Je tire très légèrement les rideaux de sa chambre, je sais le ciel bleu, sans nuages, ce qui est rare sur l'Île. Mais elle n'en saura rien. Maman ronchonne, elle dormirait bien encore. Je m'assieds sur son lit, les baskets sur l'édredon, et je pose ma tête sur son ventre. Je sens la chaleur de sa main et j'imagine que je suis blonde comme le sable sous la falaise. Comme Jane. Je sais que je ne dois pas rester longtemps. J'aurais bien aimé être blonde toute la journée. Je dévale les escaliers. Je vole un pain au chocolat dans une corbeille de la cuisine et je cours vers Jane qui m'attend, assise au bord de la falaise. Il faut être aveugle pour oser un truc pareil. À part Jane, nul ne s'y risquerait. C'est très dangereux, tout le rebord s'effrite à cause du vent et il n'y a jamais eu de barrières. Mais Jane choisit toujours un lieu qu'elle teste d'abord du pied, puis de l'autre, avant de s'y asseoir, balançant ses jambes dans le vide. Je l'envie, je suis incapable de la rejoindre. Je peux m'allonger dans l'herbe sableuse, contempler le ciel comme si des bras de colosse en coton blanc allaient soudain me soulever et m'emporter au loin, mais me pencher tout au bord, au risque de glisser, m'est formellement interdit par Olivia. Je suis sûre que je sauterais pour en finir une bonne fois pour toutes. Je ne sais pas comment Jane réussit cette prouesse tous les matins. Même Prudence ne dit rien, elle *sait* qui est sa fille. Elle défie les gens de l'Île et tous les Mortemer. Elle n'est pas différente, elle est plus forte que n'importe lequel d'entre nous. Dès que je foule l'herbe sous mes baskets, Jane me sourit. Ses yeux sont tournés vers moi, mais ils n'ont aucune expression. Seul son sourire est sans détour. Elle se lève doucement, s'avance vers moi et tend la main pour que je l'attrape. Ce chemin que nous allons prendre pour nous rendre à l'école, elle le connaît pas cœur, mieux que moi. Elle sait chaque arbre, chaque pierre, chaque virage, chaque descente. J'ai essayé de la suivre les yeux fermés en m'y appliquant, je n'y arrive pas. Je m'écarte du chemin sans le vouloir. Je trébuche à cause d'une pierre. Jane ne veut pas m'apprendre.

Elle dit :

— Toi, tu as des yeux, alors profite de ce miracle. Regarde tout, même ce qui est insignifiant, dis-toi que les couleurs ont des nuances, ou des formes, moi je les invente, ce n'est pas pareil. Je ne les ai jamais vues. Toi, il te suffit de soulever la paupière. Je n'essaie pas d'être aveugle, je le suis depuis ma naissance.

Parfois je lui prends la main pour gagner un peu de temps. Elle fait semblant de ne pas s'en rendre compte. Nous descendons le chemin jusqu'à la plage. Nous marchons près de la mer, là où le sol est dur, loin des galets qui font mal aux pieds. On y voit des Pingouins torda qui laissent des traces minuscules et nous observent, la tête penchée comme s'ils écoutaient le sens du vent. Ils me font penser à Olivia quand elle est soucieuse. Puis ils s'envolent et je les suis du regard, envieuse, et je raconte tout à Jane. Après la plage, deux kilomètres de route goudronnée bordant les bois nous attendent, on y

croise quelques voitures à l'heure où les parents abandonnent leurs enfants. Parfois, dans les bois on aperçoit
une tente, des gens du Continent qui s'offrent une nuit
noire, avant de photographier Glass. C'est très rare de
toute façon de voir les étoiles sur l'Île, les nuages se les
approprient. Et les seuls animaux de l'Île sont des oiseaux
marins qui survolent les falaises, des fourmis qu'on écrase
sans le vouloir, des renards près des fermes, et les vers de
terre qui se tortillent sous les pierres soulevées. Il n'y a
pas d'ours, ou de loups, sinon personne ne nous laisserait
aller à l'école à pied. C'est bien dommage. Je n'ai pas peur
des loups ou des ours. Je saurais les apprivoiser. Au bout
de la route, il faut ensuite descendre un chemin sur la
gauche, et l'école apparaît, un grand bâtiment en bois sur
deux étages qui bien avant grand-mère était une scierie.
Le parking est à moitié plein quand on arrive. La cloche
sonne, on se réunit tous en rang et par deux dans le hall
de l'école en direction du couloir qui mène aux classes.
Je suis toujours venue ici avec Jane. Pas un adulte ne me
conduit plus ici depuis mes dix ans. Je ne veux plus. On
me rappelle assez que je suis une Mortemer. Je prends
soin de Jane et je n'ai besoin de personne. Moi aussi,
j'aurais voulu être aveugle de naissance.

Marnie

Papa retournait sur le Continent. J'entendais le moteur de son bolide et sortais de mon lit pour attendre Rose dans les escaliers. Maman me regardait d'un air rassuré, comme si à cette heure avancée de la nuit cela l'enchantait d'apercevoir une fillette de dix ans en pyjama au milieu des marches.

— Va te coucher, ma petite Marnie, sinon tu vas encore t'endormir en classe demain.

Elle était habillée d'une robe achetée sur le Continent, un vêtement qu'aucune femme n'aurait porté sur l'Île. Un imprimé fleuri, avec de grosses fleurs rouges et mauves comme un bouquet jeté du haut de la falaise. Maman a retiré ses chaussures, s'est assise en bas des marches et a massé ses pieds.

— J'ai trop dansé, elle a dit au plancher.

Elle était perdue dans ses pensées.

— C'est si important, la danse ? j'ai demandé.

Maman a levé les yeux vers moi.

— Oui, tu oublies tout !

— Tout ?

— Oui, tout.

Alors j'ai avalé les escaliers. Je me suis tournée vers maman, bras et jambes écartés. Maman est allée récupérer le poste de radio dans sa chambre et l'a posé sur la première marche. Elle a cherché une station en tournant le bouton et s'est arrêtée sur une musique entraînante qui faisait vibrer le poste. Elle m'a tendu ses bras et je me suis jetée dedans. On a dansé en se penchant d'un côté et de l'autre. En avant et en arrière. J'avais le tournis. Je ne pensais à rien sinon à ne pas marcher sur ses pieds nus. La musique entrait par mes oreilles, ma bouche, mon nez, je l'écoutais, la respirais, je me laissais envahir tout entière. J'oubliais que papa ne m'avait rien appris de pareil. Qu'il n'était jamais là et qu'à cette heure il perdait encore de l'argent et finissait la nuit dans les bras d'une autre femme, et que tout cela causait du chagrin à maman et à grand-mère. Je sentais la sueur dans mon cou, sous mes aisselles. Maman dansait les yeux fermés et moi je la dévorais des miens, quand une porte s'est ouverte à l'étage. La tête de grand-mère est apparue au-dessus de la rampe de l'escalier

— C'est quoi ce boucan du diable ? a-t-elle crié.

Maman a aussitôt éteint la radio. Je me suis cachée sous l'escalier. Avant de monter d'un pas lent, maman m'a fait un clin d'œil. J'ai attendu que les portes claquent et j'ai rejoint ma chambre sans bruit. Je n'arrivais toujours pas à dormir. Le haut du pyjama collait à ma peau. La sueur coulait encore sur mon front et dans mes oreilles. J'avais un mauvais pressentiment. Je ne sais pas pourquoi. Je pensais à un élastique qui à force d'être étiré finit par se rompre.

Olivia

Ma sœur Adélaïde est devenue avocate et a épousé un juge américain qui lui a fait trois enfants. Ils sont grands maintenant. Ils vivent loin, à Washington. Je ne les vois pas souvent. Ils ne sont jamais venus sur l'Île. C'est moi qui leur ai rendu visite à la naissance de Marnie. Je n'aime plus voyager comme jadis. Cela n'a rien à voir avec mon âge, mais depuis que je suis revenue sur l'Île, je ne veux plus en repartir. Nous sommes faites l'une pour l'autre. Tout est trop grand ailleurs : l'aéroport, leur voiture, leur maison, mes neveux qui me dépassent tous d'une tête. Aristide n'a pas voulu m'accompagner. Depuis qu'il a construit nos maisons, il n'a plus quitté Glass non plus. L'Île nous retient comme des otages volontaires. J'ai cru que revoir Adélaïde me ferait du bien. On s'appelle parfois, mais je ne comprends rien à sa vie. Nous avons partagé des flirts sans importance, nous étions proches et ambitieuses. J'ai tout abandonné pour suivre Aristide. Je n'ai jamais été avocate, il n'a pas voulu, et je n'aurais jamais dû céder. J'étais amoureuse et stupide. J'ai surveillé les constructions avec Prudence en Afrique et aux Amériques. Je me suis occupée des arbres, du jardin, un peu de Luc quand il est né. J'ai racheté l'école, j'ai géré le patrimoine familial d'Aristide. J'ai toujours aimé les chiffres. J'ai fait prospérer sa fortune en prenant parfois des risques qui ont été très payants. Je lisais la presse boursière, je m'intéressais aux analyses financières, à l'actualité des marchés et au cours des actions. Quand Luc est venu au monde, j'ai failli mourir à la clinique du Continent. J'ai survécu en sachant que je n'aurais pas d'autres enfants. Je crois qu'Aristide aurait préféré que je meure, être père de plusieurs autres garçons avec une pondeuse moins froide et plus jeune que moi. Il a dû se contenter de nous en appréciant combien je lui étais indispensable en affaires. Il n'a plus jamais été le même homme quand il est venu me chercher à la clinique du Continent. Il est resté silencieux tout le trajet et pendant plusieurs jours. Nous dormions dans le même lit, mais il ne me touchait plus. Je n'avais pas besoin de l'interroger à ce sujet. Je trouvais cela trop injuste. J'appelais Adélaïde sans oser lui avouer ce qu'il m'arrivait. Elle me parlait de son travail qui l'accaparait et du peu de temps qu'elle consacrait à l'éducation de ses trois fils. J'ai fini par lui demander si sa vie sexuelle était épanouissante. Adélaïde a éclaté de rire.

— Oui bien sûr, mais pas avec George, l'agence est pleine de jeunes avocats prêts à tout pour réussir.

Je me suis dit qu'un amant sur l'Île pourrait remplacer Aristide pendant un certain temps, j'avais bien ma petite idée, puis cette pensée s'est éloignée aussi vite que les ferrys fuyant le Continent, je connaissais tous les habitants de l'Île par leur prénom. J'ai continué à gérer le patrimoine d'Aristide, jusqu'à ce qu'il revienne vers moi d'une manière pour le moins inattendue. Sans doute m'a-t-il trompée, mais il a eu la délicatesse de ne jamais m'en parler. Comment ai-je pu passer tant d'années auprès d'un homme dont j'ignorais l'essentiel ?

Géraud

Je suis Géraud Delorme, le seul médecin de l'Île. On m'appelle jour et nuit pour une grippe, un accouchement, un bras cassé, la varicelle, un mort. Je connais tous les habitants et leurs secrets. J'aurais préféré en ignorer certains qui me rongent. J'habite la plus petite maison. De toute façon, j'y dors peu. Je me fais payer en liquide, en chèque, en poulets, en fruits et même en livres que j'offre à Olivia. Quand c'est grave, j'évacue par hélicoptère le malheureux qui aura peut-être une chance de survie sur le Continent. J'ai vu des enfants naître, des vieux mourir d'une plaie infectée. Ce regard implorant qui se rive à moi comme une ancre m'empêche souvent de dormir. Celui du bébé, étonné d'arriver en ce monde, me donnerait envie de danser, si seulement je savais. Je suis entré dans toutes les fermes, j'ai remarqué les ancêtres accrochés aux murs, ou les traces d'anciens cadres ou meubles de ceux qui ont tout perdu. On m'a servi de la soupe, du rôti, des fruits, parfois de la gnole, celle qui fait grimacer. Une fois une patiente m'a montré ses seins, mais je préfère ne pas y penser. De toute manière elle n'est pas d'ici. Les femmes du Continent sont moins farouches que celles de l'Île. Elles m'ont déniaisé mais aucune ne m'a demandé de rester. J'ai déjà

43

sauvé tant de vies que j'essaie d'oublier les autres. Pourtant je continue de fleurir la tombe de ceux qui n'ont plus de famille. Juste avant de dormir, je pense parfois à tous ces moribonds que je n'ai pas pu sauver. Certains ont trop attendu avant de venir à moi. D'autres auraient été sauvés par un miracle qui n'a pas eu lieu. Chaque jour, je pense aux Mortemer. À Olivia et à Rose. À Olivia surtout. À leur silence. À leur résignation. Je me suis fait une raison de ce monde que je ne comprends pas toujours. J'ai connu Olivia de Mortemer à l'école, qui ne lui appartenait pas encore. J'ai soigné Aristide pour son diabète et des maladies vénériennes rapportées d'Afrique. Je n'en ai rien dit à Olivia bien sûr, mais quand j'ai appris qu'Aristide la battait, cela m'a révolté. Olivia m'a fait taire sans dire un mot. Ce regard même qui me faisait peur plus jeune et m'empêchait d'agir. Un métal froid et magnifique à la fois. On est con quand on est jeune. Malheureusement cela ne s'arrange pas plus tard. Je la considère comme la vieille amie qu'elle n'a jamais été, et la femme qui n'aura pas fait de moi un homme. Je suis retourné dans cette maison de verre et d'acier, j'ai soigné Olivia avec de la glace, des analgésiques, des bandages compressifs. J'ai tenté de recueillir ses confidences. En vain. Je lui ai prescrit des somnifères et des anxiolytiques. Je me suis assuré auprès de Prudence qu'elle prenait bien ses médicaments. On fait de suite confiance à cette femme tout en noir qui n'appelle pas d'autres sentiments. Puis Olivia m'a téléphoné à cause de Rose qui n'allait pas bien. J'ai accompagné sa belle-fille sur ce Continent où elle n'était pas retournée depuis l'inondation. Elle a séjourné quelques jours à l'hôpital puis a commencé la chimio à Glass. Un cancer du pancréas qui lui donnait peu de temps à vivre. Quand Aristide puis Luc sont morts, après les avoir examinés l'un et l'autre, ou du moins ce qu'il restait de ce dernier, j'ai pensé qu'un miracle s'était enfin produit à Glass. J'ai gardé cela pour moi. J'ai vu la plupart des fermiers quitter l'Île. Certains d'entre eux jalousaient les Mortemer. Cette maison folle bâtie au-dessus des falaises a fait beaucoup parler d'elle. Toutes sortes de fouineurs sont montés la voir. Ils ont tous été chassés par Aristide et sa carabine. C'est suffisant pour détester toute la famille. Et quand Marnie a étripé un garçon à l'école avec un compas, l'argent offert au père contre son silence n'a rien arrangé. Le pharmacien cocu est bien trop bavard. Et pourtant, si l'Île avait su le sort réservé aux femmes à Glass, jamais ils n'auraient jugé aussi facilement ce clan. Personne, sur cette Île, ne peut envier le sort de Rose et d'Olivia de Mortemer.

Marnie

J'appuie sur la sonnette du pharmacien. De l'autre côté de la porte, il me demande ce que je viens faire ici.

— Ben pardi, m'excuser auprès de Vincy.

La porte s'ouvre. Ses pieds sont nus, il est habillé d'un short taché et d'une chemise hawaïenne qui ne plaît pas à son ventre. Une chair nue et poilue s'en échappe. Le pharmacien me regarde drôlement et me dit qu'il ne sait pas trop s'il a le droit de me faire entrer chez lui.

— Ton grand-père nous a envoyé un avocat, brandit-il d'une voix perchée, le menton relevé et pointé vers moi comme s'il s'agissait d'un revolver.

— Mon grand-père est mort. Et l'avocat n'est pas venu les mains vides. Vincy est là ?

Le pharmacien hésite. Puis il me laisse entrer. Il désigne d'un doigt la chambre de Vincy. J'entre sans frapper. Vincy, de dos, porte un casque sur ses oreilles et pianote sur son ordinateur. Je pose ma main sur son épaule, il sursaute tout en ôtant son casque. Quand il me reconnaît, il devient aussi blanc qu'une aspirine.

— Qu'est-ce que tu fais chez moi ? crie-t-il comme si son casque était toujours sur ses oreilles.

— Je viens m'excuser, je dis calmement.

Vincy passe sa main plusieurs fois dans ses mèches transformant sa chevelure en flammes.

— Et pourquoi tu ferais ça ? se renseigne-t-il en se vautrant sur sa chaise.

— Parce que ce n'est pas bien de t'avoir fait du mal. Tu n'avais rien à voir avec tout ça. Je le regrette.

Vincy se redresse sur la chaise. Il semble nerveux, comme si je tenais un compas à la main.

— Tu sais que tu terrifies tout le monde ?

— Oui, et je m'en fiche.

— Pourquoi es-tu aussi bizarre, Marnie ?

— Ce ne sont pas tes affaires. Je suis venue pour me faire pardonner, c'est tout.

Son père, planté là, a tout entendu. Vincy se lève de sa chaise et claque la porte au nez du pharmacien. Il s'appuie contre son bureau et me regarde avec la même expression étonnée que son père. Moi, je pense à un insecte emprisonné sous un verre que j'observerais se débattre. Je le connais comme tous les enfants de l'Île depuis que je suis toute petite. Je n'ai pas joué avec lui, pas plus que je ne l'ai fait avec qui que ce soit, sinon mes poupées habillées par Prudence, et ça ne compte pas. Les garçons ne m'intéressent pas. Je les trouve tous prévisibles. Les filles, elles, sont connes, c'est autre chose. À part Jane bien sûr. Je ne sais pas pourquoi Vincy lui plaît. C'est elle qui m'a poussée à m'expliquer. Il est beau, certes, mais elle ne le sait pas. Il a des yeux bleus comme la mer par beau temps, mais elle ne les voit pas. Ses cheveux sont hirsutes, sa chemise blanche est sortie du pantalon, ses pieds planqués dans ses baskets à pois verts. Il s'avance vers moi, me touche la joue avec sa main. Je recule. Il fait deux pas et se fige, face à moi. Je ne bouge pas. Son visage s'approche. Il colle sa bouche à la mienne. Sa langue passe entre mes dents et cherche à attraper la mienne. Mes yeux s'affolent. Je me demande s'il a fait la même chose à Jane. Ce n'est pas désagréable. Ses mains atterrissent sur mes hanches. Je le repousse doucement.

— Ça suffit, je murmure.

Vincy s'écarte et me dit :

— J'aimerais te revoir.

— Tu me vois là, maintenant ! Et tous les jours à l'école depuis que tu es né ou presque.

— Tu sais très bien ce que je veux dire, assure-t-il d'une voix plus basse.

Je regarde sa chambre, son lit, son bureau, son ordinateur, ses pois verts, je dis à sa chemise déboutonnée :

— On verra bien.

Et je quitte cette chambre qui sent trop la cigarette et la sueur.

Vincy est comme tous les garçons de l'Île, si prévisible.

Marnie

Je roule dans l'herbe avec Jane jusqu'au bord des falaises. Je lui raconte le baiser de Vincy, on rit comme deux chipies. Je n'ai pas envie de parler de Rose. Et Jane n'est pas aussi curieuse que moi. Elle pose toujours les bonnes questions, sa bouche, aussi, sait être aveugle. Je lui propose d'aller au café de l'embarcadère. On en profitera pour voir Agatha. Jane sort de sa poche des billets qu'elle froisse avec sa main. Avec cet argent volé à Prudence on a de quoi largement s'acheter des milk-shakes et des chips. Y a-t-il un mot plus délicieux que CHIPS ? Il nous faut retourner à l'école et marcher plus de trois kilomètres. Le ciel est bleu, les nuages sont aussi blancs que le lait, nous ne risquons rien. J'attrape la main de Jane et nous dévalons le chemin comme si Prudence nous courait après. J'ai soif en arrivant au café. Mes pieds sont en miettes d'avoir tant marché. Je les frotte dans l'herbe jaune. De la terrasse en bois, on peut voir le ferry revenir vers l'Île et déposer en voiture tous ceux qui travaillent sur le Continent. Les milk-shakes sont immenses, il faut les tenir à deux mains. J'ai les doigts tout graisseux à force de manger des chips. Je m'essuie sur mon jean. On regarde au loin le Continent et toutes ses petites lumières comme un géant qui aurait lancé tous ses dés. Je n'y suis jamais allée encore. Jane non plus. Cette ville nous effraie. On préfère la regarder de loin. Un jour, je sais, j'irai sur cette terre, loin du parfum d'encens, qui en sait plus sur mon père que toute la famille. Il paraît qu'il n'y a pas d'arbres et que les rues sont si semblables qu'on s'y perd comme dans un labyrinthe. Maman a vécu là-bas avant de connaître papa, et Aristide y allait souvent pour ses affaires. Grand-mère y est passée l'année de ma naissance pour rejoindre sa sœur Adélaïde aux États-Unis, mais elle n'y est pas retournée depuis. J'aspire le milk-shake qui me glace le palais. Le ciel s'est assombri, la nuit ne va pas tarder à tomber. Juste avant de rentrer, on descend à l'embarcadère respirer le parfum des fleurs d'Agatha. Je ne voulais pas penser à Rose et pourtant je vais à la rencontre de la seule amie qu'elle a sur l'Île. C'est comme tenter de résister à la tempête, cela ne sert à rien. Elle vous emporte, un point c'est tout. Agatha range ses bouquets de fleurs dans une charrette verte. Elle a presque tout vendu, il ne reste que des roses orangées, quelques œillets blancs, et des plantes en pots qu'elle nous offre à toutes deux. Je garde à la main les roses orangées, les préférées de maman. Agatha porte un fichu sur la tête, qui me rappelle ceux de Rose quand elle a perdu ses cheveux, et une salopette bleue où est écrit son prénom en lettres blanches. Je lui dis que maman aimait venir sentir le parfum de ses fleurs. Agatha me fixe sans rien dire, tout en levant les yeux au ciel. Quand elle revient vers nous, elle essuie ses yeux avec sa manche et dit que c'est le vent d'ici qui la fait pleurer. Jane me pince le coude et je me cache dans le parfum des roses.

— Je crois que ta maman aimait davantage parler avec moi, même si elle m'achetait quelques fleurs en partant. Le Continent lui manquait parfois. Je ne suis pas sûre que ton père ait su vraiment la comprendre. Je ne devrais pas te dire ça. Pardon, Marnie.

Je ne réponds pas. Je n'ai rien à pardonner. Je suis une menteuse qui n'ira jamais s'expliquer avec le curé. Qu'il brûle dans son église, celui-là. Les tréteaux sont repliés et rangés sur le côté de la charrette. Agatha nous envoie un baiser, puis remonte le chemin qui mène vers l'école. Je la regarde s'éloigner, tandis que Jane pose sa main sur mon épaule. Je n'avais jamais prêté attention aux épines des roses. Ma main saigne. Je n'ai même pas senti la douleur. En cet instant précis, je ne ressens que de la colère. Bien plus forte que le sang qui goutte sur mes baskets.

Agatha

Je suis la seule fleuriste sur l'Île. C'est sans doute ce qui m'a attirée ici, dans cet endroit qui ne figure sur aucune carte. Une Île oubliée de tous et désertée depuis longtemps par la plupart des fermiers qui ont trouvé un autre travail sur le Continent. Les maisons sont toujours habitées et ma clientèle est fidèle. Les gens ne sont pas très causants, moi non plus. J'ai toujours eu peur du monde et de la foule. Les habitants ont des vies que je ne veux pas connaître. J'ai la mienne. Je ne suis heureuse que seule, avec mes fleurs et mon chat à qui je n'ai pas donné de nom. Cela ne l'empêche pas de venir se blottir contre moi la nuit, en se glissant sous le drap. Parfois, je me lie, mais c'est très rare. Je réfléchis trop aux conséquences. Je ne veux pas d'un homme chez moi. Le sexe ne m'intéresse plus. Je vends mes fleurs près de l'embarcadère du ferry et je les cultive derrière ma maison. La terre ici est incroyablement fertile. J'y fais pousser selon les saisons des amaryllis, des anémones, des aubépines, des bleuets, des camélias, des capucines, du chèvrefeuille, des coquelicots, des dahlias, des immortelles, des jacinthes, des pensées, des pétunias, des pivoines, des rhododendrons, des roses, du seringa, des tulipes. Je termine mes bouquets avec de la fougère ou des plantes sauvages qui poussent comme de l'alpiste sur cette Île. Pas un humain ne vient chez moi. On me sait peu aimable quand on s'aventure sur mon territoire. J'aime les clientes qui me parlent du temps. Je me raidis quand on m'interroge sur mon chat. Et pourtant j'ai été bouleversée par cette orpheline qui est venue à moi un soir d'orage. Ici, je suis habituée au changement du climat. À la première goutte de pluie, j'avais bâché mes bouquets, je m'étais réfugiée sous ma brouette, assise sur mes talons. Les gens de l'Île ne s'offusquent pas de mes manières. Ils ont les leurs. Une jeune femme a toqué contre mon abri comme s'il s'agissait d'entrer. Je suis restée silencieuse en espérant qu'elle s'en aille. Ses escarpins beiges s'enfonçant dans la terre boueuse, j'ai demandé à l'étrangère de me rejoindre. Je l'ai aussitôt reconnue, l'Île n'est pas bien grande. Je la croisais parfois à l'épicerie avec une enfant qu'elle tenait serrée contre elle. C'est dans ma nature d'observer les êtres, surtout à distance. Rose dirigeait une boutique de luxe sur le Continent. Elle sentait l'encens des églises. Ce jour-là, l'orage a duré une bonne partie de la nuit et nous avons couru nous abriter à la taverne. Nous étions aussi dégoulinantes l'une que l'autre. L'aubergiste nous a prêté des torchons, je pensais à mes bouquets écrasés par la bâche sous la pluie. Jamais sur l'Île, il n'avait autant plu. Cette nuit-là, il y eut beaucoup d'inondations. Rose perdit son deux pièces, sa boutique de luxe et tout ce qu'il y avait à l'intérieur. Des torrents de boue s'étaient déversés dans cette rue trop en pente et avaient tout détruit sur leur passage. L'assurance retourna à sa propriétaire et Rose se trouva sans logis ni travail. C'était une femme très douce comme je n'en avais jamais connu. Elle ne se plaignait jamais. Elle disait que les accrocs de la vie rendaient les instants de bonheur plus intenses. Nous avons bu pour nous réchauffer et je me souviens d'avoir beaucoup ri, pour la première fois depuis mon arrivée sur l'Île. Elle a pris l'habitude de m'acheter des fleurs en fin de journée, et m'a raccompagnée plus d'une fois à la maison avant que je ne l'invite à entrer. Rose avait épousé un abruti pour son sourire, un sale égoïste qui lui préférait d'autres femmes et le casino du Continent. Mais elle l'aimait et lui pardonnait tout. J'enviais presque cet amour fou qui la distinguait de mes choix. Quand elle parlait de lui, ses yeux verts devenaient fiévreux. Les mots se bousculaient dans sa bouche, si pressés de s'en échapper. L'orpheline avait trop manqué d'attention pour ne pas l'offrir tout entière à son mari. Quand elle est tombée malade, c'est sa fille Marnie qui est venue acheter les fleurs. Elle m'a dit combien sa mère m'adorait, moi sa seule amie sur l'Île, mais qu'elle était dorénavant trop fatiguée pour quitter sa chambre. Le docteur Delorme empêchait même les visites. Une étrange gamine, mûre pour son âge, aussi rousse qu'un crépuscule. Elle vient une fois par semaine maintenant que Rose est condamnée. Je lui prépare les plus beaux de mes bouquets et je refuse d'être payée. J'aurais tant aimé revoir Rose, ne serait-ce qu'une fois, et je me fiche bien qu'elle ressemble à une esquisse. Mais Marnie n'en démord pas. Seul Géraud Delorme est convié dans cette maison biscornue, lui et ses piqûres de morphine pour adoucir le mal qui terrasse la femme venue s'abriter sous mon chariot. Ma seule amie sur l'Île. Rose, la bien-nommée.

Olivia

Les livres viennent du Continent et de Géraud. J'en lis souvent depuis que j'ai séjourné à la clinique. À en perdre toute notion du temps. Prudence nous prépare des repas légers comme je les aime, du poisson avec des légumes de saison, de la viande blanche et une fois par semaine un rôti de bœuf. Tout est fait maison, le pain et la pâtisserie. Même nos croissants au petit déjeuner et les pains au chocolat pour Marnie. Je ne sais pas ce que je ferais sans Prudence. Je trie les papiers, règle les factures, rédige des chèques généreux pour l'église de Côme, la police du Continent, la sauvegarde des espèces animales sur l'Île. Nous avons bien une télévision dans le petit salon, mais nul ne la regarde. Seul Aristide, parfois, l'allumait pour un match et Marnie pour voir des films avec Rose. Marnie ne s'y intéresse pas plus qu'aux ordinateurs. C'est étonnant pour une fille de son âge. Ce doit être l'influence de l'Île. Et l'éducation de Rose, quand elle en avait encore le temps. J'ai perdu un mari et un fils, tous deux si décevants. Même si j'ai du mal à le reconnaître, aucun des deux n'a fait le bonheur de leurs épouses ou de leur mère. Ont-ils au moins comblé leurs maîtresses, à supposer qu'Aristide m'ait trompée ? À mon âge franchement, cela n'a plus aucune importance. J'imagine qu'il a trouvé plus avenante sur le Continent. Pauvre Rose, elle a tant souffert qu'elle a fini par attraper ce cancer. Je ne supportais plus de la voir pleurer dans sa chambre. Et que personne ne vienne me dire que nos corps ne fabriquent pas cette maladie d'avoir autant supporté. Je n'ai jamais compris mon fils et Aristide. Jusqu'à Luc, lui s'était comporté comme l'homme du parasol, un exquis gentleman qui prenait soin de moi et me laissait toute mon indépendance. Une fois les deux maisons construites, et la naissance de Luc, il en a été tout autrement. Je me souviens encore du premier soir comme s'il venait à peine de s'éteindre. Nous étions entourés de bougies qui donnaient à la salle à manger un air d'autrefois, dû à une nouvelle panne d'électricité. Je ne sais plus comment la conversation a dévié, nous n'étions pas d'accord sur le choix des écoles pour Luc. J'avais choisi le Continent afin de le garder près de moi, Aristide les États-Unis pour l'éloigner de nous. Ce gamin devait apprendre la vie. J'ai sursauté quand il a frappé la table, tout comme les assiettes et les verres en cristal. Il a tiré sur la nappe de toutes ses forces et plus rien n'est resté entre nous sinon le trou de son poing au centre de l'acajou. Les bougies se sont éteintes d'elles-mêmes en tombant au sol. J'ai regagné notre chambre sans réagir et je n'ai pas songé à m'enfermer à clé. Pourquoi l'aurais-je fait d'ailleurs ? Aristide est entré en refermant la porte derrière lui, le visage aussi écarlate qu'un coup de soleil attrapé sur un transat. Sa bouche tremblait, retenant toute sa colère qui refusait de sortir par les mots. Il a défait d'un geste rapide la ceinture de son pantalon. J'étais tellement stupéfaite que je suis restée debout, le dos collé à la paroi de verre, les mains jointes en une prière inutile. Je n'arrivais plus à rassembler mes pensées, tout devenait confus. Je comprenais à peine ce qui allait se passer. Je crois que je refusais même de l'admettre. La boucle de sa ceinture s'est abattue sur mes mains, faisant jaillir le rubis de son écrin qui a roulé sous le lit. La deuxième frappe m'a coupé le souffle à hauteur de la poitrine et je suis tombée à genoux sous la douleur. Je me suis allongée au sol pour protéger mon visage. J'aurais pu attraper le rubis en tendant le bras. Un geste dérisoire. Je ne savais absolument pas quoi faire. Aucun proche ne m'avait dit un jour que je devrais me défendre contre Aristide. J'aurais pu réagir, saisir une lampe, un tisonnier, n'importe quoi d'assez solide, et lui fracasser le crâne avec, mais ce soir-là, je n'y ai même pas pensé. Et quand la ceinture a attaqué plusieurs fois mon dos, j'ai tenté de déplacer la douleur dans mes poings serrés. Les ongles se sont enfoncés dans mes paumes si fortement qu'un filet de sang s'en est échappé. Le supplice est devenu si insupportable que j'en ai desserré mes poings. Je savais que l'épaisseur des murs et des portes ne m'apporterait aucune aide, et que j'allais sans doute mourir ainsi, allongée à même le sol, sous les coups de ceinture qui ne cessaient de pleuvoir sur moi. Je me suis évanouie, ce qui m'a sûrement sauvée. Pas une fois il ne m'avait touché le visage. Je me suis réveillée meurtrie de bleus qui cognaient ma peau comme autant de cœurs battants, j'ai rampé jusqu'au lit, saisissant ce rubis comme une pâle victoire, j'ai attendu Prudence contre le battant de mon imposant lit. Je n'avais plus la force de m'y hisser. J'aurais dû m'enfuir et refaire ma vie. Prudence m'aurait aidée à quitter l'Île, je possédais suffisamment d'argent, de quoi réfléchir. Mais j'ai pensé à Luc et je suis restée. Marnie n'était pas encore née. Jamais je ne regretterai ma décision. Aristide s'est excusé le lendemain, m'a offert des centaines de pivoines, et pendant quelques mois ce monstre a agi comme si rien ne s'était passé. J'étais submergée de haine, de douleur et de honte. J'aurais pu devenir folle, me jeter des falaises. Et pourtant je cherchais à comprendre ce que j'avais bien pu dire ou faire pour le mettre dans un tel état. Je me sentais coupable. Prudence a été la première à me voir ainsi, Géraud a soigné mes blessures, et Côme a su m'écouter. J'étais si naïve de penser qu'il ne s'agissait que d'une mésaventure. Quand l'indicible s'est produit à nouveau, j'ai compris que, toute ma vie, il en serait ainsi. Je me trompais, mais j'étais loin d'imaginer l'issue. Prudence et Géraud m'ont suppliée de porter plainte, j'en ai fait autant pour qu'ils se taisent. Côme et Géraud étaient liés par le secret professionnel. Je ne risquais rien. Maudite éducation qui m'apportait la honte, la culpabilité, et la crainte de ce qu'en penseraient Luc et les habitants de l'Île. Aristide ne m'a jamais battue devant témoin et, avec les années, sa violence s'est atténuée. Il vieillissait, ce salaud. Tout comme moi. En apparence nous étions un couple uni et un exemple pour l'Île où il avait bâti ces deux maisons que l'on nous enviait. Et aussi curieux que cela paraisse, j'ai fini par m'habituer, à ma façon, à ses coups que Delorme s'évertuait à faire disparaître. Géraud était amoureux de moi quand nous étions jeunes, je lui ai préféré Aristide. Les mains du docteur étaient nées pour soigner. Elles ne savaient pas parler autrement aux femmes et je n'avais pas envie d'être la première. Parfois je me regardais nue dans l'ovale de la glace, près de ma coiffeuse, et j'observais ces bleus pareils à des tatouages. J'aurais été parfaite dans un cirque, derrière une cage en verre. Une vieille excentrique exhibant ses trophées, à défaut de les cacher. Je travaillais pour Aristide la plupart des journées et le désir de vengeance m'a effleurée : faire chuter ses actions et ses titres, mais je nous aurais punis par la même occasion. J'ai pris d'autres dispositions financières pour nous mettre tous à l'abri. Après tout, nous étions mariés sous le régime de la communauté de biens. Je me suis ouvert deux autres comptes, un pour Luc, le second pour moi. Je savais qu'Aristide en le découvrant ne dirait rien. Le prix à payer sans doute. J'ai exigé de faire chambre à part en prétextant pour le reste de la famille la fumée de son cigare. Je ne le haïssais point, ni ne l'aimais. Je reprenais le cours de ma vie, je contrôlais mes pensées, et perdais le fil du temps quand il me battait avec ses poings ou sa ceinture. J'avais fini par inventer une parade à sa violence, à m'en extraire presque complètement. Prudence et Géraud ont tenu leur promesse, c'était notre pacte. Aristide a cessé de fréquenter l'église et Côme s'est habitué à ma seule présence. Ni Luc, ni Rose, ni même la petite ne s'en sont doutés et je dois avouer que j'ai su conserver les apparences avec un certain panache. Même si les fêtes et les dîners ont cessé à Glass, en dehors du mariage de Luc et de Rose. La violence m'avait ôté toute joie de paraître. Les portes et les murs épais de Glass ont enterré le reste. La disparition d'Aristide ne m'a ni soulagée, ni attristée. Pour moi l'homme du parasol était mort depuis longtemps. Je cachais quelques pelures d'oignon dans une petite boîte à pilules qu'il m'a suffi de respirer le jour de l'enterrement. Il fallait que l'Île et les miens me voient pleurer. J'avais vécu quarante ans auprès d'un monstre et nous étions quatre à le savoir.

Marnie

Je dîne avec grand-mère. Nous ne sommes plus que deux. Prudence a allumé les deux bougeoirs de chaque côté de la table. Deux singes en habits de bronze qui portent haut les bougies couleur ivoire. Grand-mère, comme moi, n'aime pas les lumières fortes. Les pannes d'électricité nous amusent toutes, sauf Prudence qui court dans la lumière du soir pour récupérer les bougies et la boîte d'allumettes. Nous nous sommes assises l'une près de l'autre. Prudence a retiré une rallonge, la table était devenue trop grande. Avant, grand-mère donnait des dîners où elle aimait recevoir des gens de l'Île. J'étais trop petite pour m'en souvenir vraiment. Je me cachais à quatre pattes sous des forêts de jambes. Aujourd'hui, plus une âme ne vient, à part grand-mère et moi. Maman ne descend plus de sa chambre. C'est beaucoup trop fatigant pour elle. Je sais qu'un jour elle va mourir, mais je ne veux pas savoir quand. Même si le docteur Géraud a dit qu'elle pouvait vivre encore quelques semaines. Grand-mère et lui étaient assis à la bibliothèque, et moi allongée tout au fond dans un canapé. Une fois de plus, j'ai tout entendu. Il fallait que maman se batte pour vivre. Je sais qu'elle le fait pour moi.

Le vertige des falaises

Olivia porte de ravissantes boucles d'oreilles que lui a offertes Rose. Un petit éléphant se balance à l'envers de ces boucles. Il scintille à la lueur des bougies lorsque Olivia tourne la tête. Je raconte à grand-mère que j'ai embrassé un garçon sur la bouche pour la première fois et que je m'attendais à mieux. Grand-mère rigole.

— Et comment s'appelle le prince charmant ?

— Vincy, tu sais, le fils du pharmacien.

Grand-mère réfléchit, comme si la moindre chose pouvait lui échapper sur l'Île. Elle sait parfaitement que je lui ai enfoncé un compas dans le ventre.

— Ah oui, beau garçon, ce Vincy !

Je lui dis que les garçons ne m'intéressent pas et grand-mère me rappelle que je n'ai que quatorze ans.

— Et toi, à mon âge, tu aimais quoi ? je demande.

— Ah, mais ma petite, à quatorze ans, à mon époque, on n'embrassait pas le fils du pharmacien. J'étais dans une pension religieuse pour jeunes filles et il n'y avait pas un seul garçon dans l'établissement. On en parlait, parfois, entre nous, sous les draps. Mais attention, il ne fallait pas être surpris par la mère supérieure, sinon nous étions punies à la règle de fer.

Grand-mère penche la tête, elle fait toujours ça quand elle est préoccupée. Prudence entre dans la salle à manger et retire les assiettes de la délicieuse salade d'artichauts qu'elle vient de nous servir. Elle contemple toujours grand-mère avec adoration, comme si Olivia était une sainte. Moi, je n'existe pas. Je dois être le diable.

— Et si nous regardions un film, ce soir ?

— Je suis un peu fatiguée, Marnie. Une autre fois ?

— Oui, grand-mère.

Olivia n'a jamais regardé la télévision dans cette maison. Je me doutais bien qu'elle dirait non. Les soirées cinéma avec maman me manquent. Je pourrais monter

61

la télévision dans sa chambre et qu'elle voie au moins un passage d'un de ses films préférés. Elle s'endort si vite maintenant. Prudence dépose devant moi du poulet rôti et des épinards. L'horloge vient de sonner vingt et une heures. Le papier peint se décolle par endroits. Assez pour que des mille-pattes en fassent leur maison. Le lustre au-dessus de nous tremble sous les flammes de l'ivoire fondu. Grand-mère mange lentement. J'ai déjà englouti tout le poulet. Prudence nous a préparé de la crème brûlée, j'ai hâte.

— Tu n'es pas trop triste, grand-mère ?

— Pourquoi le serais-je ?

Olivia vient de relever la tête. Elle tient encore sa fourchette à la main.

— Papa, je dis.

— Bien sûr, ma petite. Mais on ne montre pas son chagrin chez les Mortemer. Et puis ton père avait aussi de grandes qualités, tu sais. La vie est faite ainsi, Marnie. Elle ne prévient pas quand elle vous enlève ceux que vous aimez.

Grand-mère avale une fourchette d'épinards. Je sais bien que le mensonge est une vertu chez les Mortemer. *De grandes qualités.* Où est-elle allée inventer un truc pareil ? Les épinards, sans doute, l'empêchent d'en dire plus. Olivia n'est pas la seule à détenir tous les secrets de l'Île.

Marnie

Prudence a quitté Glass pour la nuit. Je débranche la télévision dans le petit salon et la porte à l'étage jusqu'à la chambre de maman. C'est un vieux poste, très lourd, je dois m'arrêter à plusieurs reprises pour reprendre mon souffle dans l'escalier. Je débarrasse le dessus de la commode, des cadres en bois, des photos en noir et blanc ou en couleurs où nous apparaissons tous ensemble. Le jour où maman s'est mariée avec papa : ils sourient, ils ne savent rien de ce qui les attend. Puis, près des falaises, je suis toute petite et déjà si rousse, deux ans peut-être, je leur tiens la main. Maman fronce les sourcils : elle sait déjà que papa aime trop le Continent, et lui a le regard perdu au-dessus du toit, comme s'il cherchait à s'envoler. Sur une autre image, grand-mère est assise dans un fauteuil, Aristide, debout, pose une main sur son épaule. On saisit qu'elle ne s'y attendait pas. La peur est là, dans ses yeux verts si changeants. Et, sur ce portrait de famille où nous sommes tous ensemble, aucune bouche ne sourit. Je dois avoir six ans, je m'agrippe à la robe de maman qui regarde Luc. Papa a fermé les yeux, seul lui sait où il est. Aristide entoure grand-mère d'un bras protecteur. Olivia penche la tête, signe qu'elle est contrariée. Je branche la télévision qui s'allume aussitôt sur une comédie musicale avec Gene Kelly. La chance. Je m'allonge tout habillée à côté de maman, la télécommande à la main. Rose a ouvert les yeux, elle regarde un peu la chambre, puis la télévision, enfin moi. Elle pose sa tête sur mon épaule, j'augmente le son. La pluie du film entre dans la chambre, Gene Kelly danse autour d'un réverbère, il est amoureux. Moi, je n'ai jamais été amoureuse, et je ne le serai jamais. Maman a trop souffert. Je l'ai aperçue plus d'une fois dans le noir de sa chambre, glissant le long du mur, recroquevillée sur ses talons, pleurant dans ses mains. Et ce chagrin qu'elle tentait de cacher aux autres a dû la brûler tout à l'intérieur comme le feu qui se consume lentement dans une cheminée. J'ai essayé de la prendre dans mes bras, mais j'étais si petite, je n'arrivais pas à en faire le tour. Je pleurais avec elle pour la consoler, je souffrais aussi de la voir ainsi, sans personne à qui se confier, même pas moi, la petite pomme qu'elle étouffait dans ses bras. Je m'en fichais, je restais là, jusqu'à ce qu'elle s'endorme, épuisée d'avoir tant pleuré, le visage bouffi de rougeurs et de larmes. Dans ma chambre, j'attendais aussi que papa revienne du Continent. Je guettais le moindre son, un craquement, une clé dans la serrure d'une porte, une voix au loin. Je ne dormais pas les nuits de chagrin. Je fixais le plafond à m'en aveugler. Je devenais Jane. Mon cœur se vidait entièrement, j'étais aussi froide que la glace du congélateur. J'aurais aimé être un homme de l'Île, un de ceux qui ont les paumes sèches, les avant-bras et la tête rougis par le soleil et le travail de la terre. Un de ces hommes qui aurait su trouver les mots pour consoler maman, et, peut-être, lui faire oublier papa. Un costaud qui l'aurait invitée à danser près de l'embarcadère le samedi, avec les ampoules de toutes les couleurs, en guirlande, autour d'eux. Rose aurait enfin souri à la nuit, dans les bras d'un homme qui serait resté à Glass. Maman qui aime tant danser.

La porte de la chambre s'ouvre, grand-mère nous observe blotties l'une contre l'autre et s'assied au bord du lit. Elle jette un œil sur Gene Kelly puis regarde sa montre.

— Il ne faut pas tarder à éteindre, dit-elle avant de retourner à sa chambre.

J'attends la fin du film, je suis la seule, maman s'est endormie depuis longtemps. Je descendrai le poste demain matin. Ce soir, je n'ai pas le courage. Toutes ces nuits à fixer le plafond m'ont épuisée. Le poste de radio est rangé dans un placard. Plus jamais nous ne danserons ensemble.

Marnie

Vincy jongle avec des cailloux. Il porte des bretelles sur sa chemise à carreaux bleus et blancs, un gilet ouvert, et un béret sur sa tête. Je viens de sortir de la maison et je tombe sur lui. Je suis heureuse soudain. Ce n'est pas Jane qu'il attend. Mais je n'ai pas l'intention de lui montrer.

— Qu'est-ce que tu fais là ? je dis, crâneuse.

— J'avais envie de te voir, répond-il aux cailloux qui continuent de s'élever vers le ciel.

Quelques mèches s'échappent du béret. Ses yeux bleus suivent l'envol des pierres. Le nez est fin, ses lèvres entrouvertes. Il récupère tout son attirail dans sa main, le fourre dans la poche de son pantalon et retire son béret.

— Viens, on va se promener.

On prend le chemin qui descend vers l'école, puis les granges désertées. Plus un seul fermier ne travaille aux champs. Seule grand-mère a connu cela quand elle avait mon âge. Les hommes aux paumes sèches sont partis sur le Continent ou bien au-delà. Il n'y a plus de bals le samedi dans le bar de l'embarcadère. Il faut se rendre jusqu'au Continent et grand-mère ne veut pas que j'y aille. Je suis encore trop jeune. De toute façon le Continent ne m'attire pas. J'aimerais bien y aller pour y rencontrer l'une de ces femmes qui ont su retenir mon père. J'aimerais l'entendre me parler de lui, en bien ou en mal je m'en fiche. Savoir qui était ce père absent, qui a fait tant de mal à Rose et s'est intéressé à moi comme à une inconnue dans la foule. Pourtant je suis rousse, on me voit de loin. Je ne me rappelle pas une seule caresse, un baiser, qu'il m'ait pris au moins une fois dans ses bras. Sa moustache ou sa barbe mal rasée m'aurait piquée, ses bras ou sa bouche se seraient déployés en souvenir. Je me souviens de ses cadeaux, des boîtes bien trop grandes que Prudence ouvrait à ma place. Des robes de petite fille sage que je n'ai jamais portées. Elles sont toutes au grenier avec les déguisements de maman. Je n'ai jamais été petite, ni sage. Je les vois se disputer tous les deux, devant moi, sur les marches de l'escalier, comme si je n'étais pas là. Elle lui reproche de l'abandonner pour d'autres femmes sur le Continent, de dépenser des fortunes au casino ou dans ses voitures de collection. Elle menace de partir. Il lui prend le bras et s'excuse. Il sait qu'il pousse comme la mauvaise herbe depuis sa naissance. Il ne pensait pas un jour s'attacher à une femme comme elle, si belle, si vraie. Mais c'est plus fort que lui, il est attiré par le Continent, par la vie qui offre tant de choix, par ces bolides qui lui donnent un sentiment de puissance, par toutes ces femmes auxquelles il n'a jamais su dire non. Pourtant il n'en a aimé qu'une, et il ne s'y attendait plus. Il ne demande pas qu'on lui pardonne toutes ses fautes, ni qu'on le comprenne. Il sera toujours là quoi qu'il arrive, à sa manière, sans qu'on le force. Maman le regarde, ne dit rien. Sa colère a disparu, mais pas son amour. Elle est prête à pardonner, à tout comprendre, pourvu qu'il ne s'en aille pas. Mais elle sait qu'elle doit accepter qu'il parte encore et ne plus insister. Elle rigole même, comme si tout cela n'avait aucune importance. Pas une seule fois ils n'ont parlé de moi, assise dans les escaliers. Je suis aussi invisible qu'un fantôme. Mais beaucoup moins gentille. J'écoute et je comprends tout.

— À quoi penses-tu ? me demande Vincy.

— À rien, je ne pense jamais à rien.

Vincy rigole.

— Tu es une drôle de fille, tu sais.

Non, je ne sais pas. Je n'ai rien de drôle. Je respire, c'est déjà pas mal. Je me laisse tomber sur le chemin. J'étends mes bras. Je contemple les nuages. Vincy s'allonge à côté de moi, sur la terre et les cailloux qui font mal au dos. Il sort une cigarette de son gilet et l'allume avec un briquet.

— Tu veux ?

J'attrape sa cigarette, je n'ai jamais fumé. J'aspire, je tousse. C'est infect. Maman parfois en fumait, mais c'était avant le cancer. Elle disait que cela lui tenait compagnie. Moi, j'ai Vincy, le fils du pharmacien. Un beau garçon, comme dit grand-mère. C'est vrai qu'il est pas mal. Le nuage qui me surplombe ressemble à la théière d'Aristide. Vincy se penche au-dessus de moi, son visage remplace la théière. Je le regarde fixement, ses yeux sont bleus, couleur de l'Île. J'y reste un instant, au bord, comme si j'avais peur de sauter. Je passe la main dans sa tignasse, ses cheveux sont étonnamment fins. Vincy se laisse faire, il ne dit rien. Sa bouche tombe sur la mienne. Elle sent la cigarette, mais je ne tousse pas. Je garde les yeux ouverts, et lui les siens. Je viens de prendre mon élan. Je n'ai peur de rien, je suis une très bonne nageuse. J'attrape sa tête, son corps s'abandonne au mien. Je mords sa langue, il défait les élastiques de mes cheveux. Mon cœur se met à battre très fort. Je vais peut-être mourir là, sous le corps de Vincy. Je m'en fiche. Je lèche sa bouche, sa langue, son menton. Et puis je le repousse.

— Ça suffit, je dis, j'ai trop mal au dos.

Vincy se lève et me tend la main pour m'aider à me redresser. Je secoue la poussière sur mon tee-shirt et sur mes fesses.

— Montre-moi ton ventre, j'ordonne.

Vincy défait ses bretelles et soulève sa chemise. Il porte encore une cicatrice. J'embrasse son trou rouge et souris. Les garçons sont vraiment bêtes. Je peux faire ce que je veux de celui-là. Pas sûr que cela m'amuse d'ailleurs. Je lui dis que j'ai soudain mal à la tête et que je veux rentrer. J'aimerais bien savoir comment un beau garçon comme lui peut s'intéresser à une chipie comme moi. Je ne suis ni tendre, ni amoureuse. Je suis comme le bois sec oublié à la remise et n'ai pas plus de cœur que lui.

Olivia

Luc était plus le fils d'Aristide que le mien. J'ai détesté être enceinte. Aristide ne m'a pas touchée pendant toute cette période. Et quand il l'a fait des mois après, plus rien n'a jamais été pareil. Des caresses, je suis passée aux coups. Je ne me regardais plus dans les glaces, je haïssais ce ventre gros et ces envies subites de fraises ou de chocolat. À l'hôpital, j'ai dû subir une césarienne pour que ce petit voie le jour. J'ai bien failli ne jamais me réveiller tant j'ai perdu de sang. Et plus il grandissait, moins je le comprenais. C'était aussi le fils de mon bourreau que j'ai rejeté malgré moi. J'ai demandé à Prudence de s'en occuper comme une mère. Elle l'accompagnait à l'école, l'aidait à faire ses devoirs, jouait avec lui, s'occupait de ses chagrins d'adolescent, puis de ses peines d'adulte. Luc ne m'a d'ailleurs jamais sollicitée pour le moindre conseil ou le moindre avis sur quoi que ce soit, sauf une fois. C'est vers Prudence qu'il se tournait. Ou Aristide quand il avait besoin d'argent. Pour Luc, j'étais une figurante au rôle indécis dans un film qui se jouait sans lui. J'avais remarqué bien sûr son obsession des femmes. Adolescent, puis jeune homme, elles lui tournaient autour comme guêpes et miel. Les cabriolets lui donnaient des airs de

70

play-boy avec sa frimousse de jeune premier. Un beau garçon sans cervelle, trop heureux d'étudier aux États-Unis,
comme l'avait souhaité son père. Six longues années, où
il est revenu avec son diplôme d'architecte oublié dans
un tiroir. Il savait que ce titre lui permettrait de réclamer
des sommes importantes pour se mettre à son compte. Et
Aristide au début y a cru. Moi, non. Je savais combien
Luc était incapable de construire quoi que ce fût. Un
immeuble, un mariage, une famille, rien de cela. J'avais
mis au monde un jouisseur. Certes, il n'était pas méchant,
mais derrière la façade attirante, le vide était abyssal. Je
l'ai aidé pourtant à s'installer sur le Continent. Je voulais
malgré tout lui offrir une seconde chance. Je l'ai fait pour
Rose, ma bonne conscience de mère honteuse et absente,
et sûrement pour l'éloigner d'Aristide. Je crois que j'aurais
été capable de tuer mon cher époux s'il avait levé la main
sur Luc. J'ai reçu plusieurs plaintes de l'école. Et un appel
de ma sœur Adélaïde, de Washington, où Luc avait résidé
pendant ses études, qui m'avait confirmé à quel point son
goût excessif des femmes posait un problème. Sur l'Île
j'avais pu régler tout cela à l'amiable, avec l'argent qui,
seul, peut acheter le silence. Je n'en ai jamais été fière,
mais on ne se dérobe pas quand on est une Mortemer. À
Washington, un mari jaloux lui avait cassé le nez, un autre
avait déposé plainte. Adélaïde, parfaite, en bonne avocate
qu'elle était, l'avait sorti du pétrin. Mon beau-frère, le
juge, l'avait sermonné en vain. Rien ne semblait atteindre
Luc à part son compte en banque. C'est avec l'argent
d'Aristide qu'il s'est acheté sa Jaguar XK 120, un modèle
rare et coûteux qui s'est écrasé contre les rochers, en bas
de la falaise, avant d'être réduit en cendres. Il retardait
pour mille raisons son installation professionnelle sur le
Continent, et Aristide comprenait qu'il s'était fait avoir.
Puis il nous a présenté Rose et j'avoue pour la première

fois avoir douté de mes sentiments envers lui. Une femme à la fois ravissante et sérieuse qui dirigeait l'une des plus belles boutiques du Continent, une épouse, peut-être, qui saurait le rendre un peu responsable et heureux. Mais on ne lutte pas contre sa nature. Il y avait chez Luc une insouciance que je lui enviais parfois, un sourire trompeur qui vous donnait envie de baisser la garde, une aisance en toutes circonstances qui forçait l'admiration, mais une incapacité à procurer du bonheur aux gens. J'ai aimé Rose, comme la fille que j'aurais préférée à Luc, une amie à qui je me suis peu confiée – prise sous l'étau du bourreau –, ma belle-fille sur laquelle j'ai veillé autant que j'ai pu. La pluie, les orages soudains sur l'Île n'ont rien de comparable à la souffrance qui attendait Rose, différente de la mienne, mais tout aussi ravageuse. Prudence au début n'appréciait pas cette femme venue du Continent. Si Luc, son préféré, s'en éloignait, c'est qu'elle en était responsable. Le temps qui passe éloigne plus souvent les êtres qu'il ne les rapproche. L'amour de Rose pour Luc relevait à la fois de l'incompréhension et de l'envie pour une famille comme la nôtre. Un amour semblable à une constellation si rare dans les cieux nuageux de l'Île. Et Prudence a changé en dépit de ses premières impressions. Elle s'est rapprochée de Rose sans même s'en rendre compte. Quand Rose est tombée malade, elle s'est chargée des soins que Géraud lui confiait, des repas et de sa toilette. Elle laissait à peine Marnie s'en approcher. Rose était devenue sa patiente. Prudence n'éprouvait plus les mêmes sentiments pour Luc. Elle, si enjouée à son égard dès qu'il franchissait le seuil de Glass, devenait de marbre à ses apparitions. Elle n'attendait qu'une chose, qu'il s'en aille. À table, elle ne le servait plus à deux reprises comme autrefois. Son linge pouvait attendre tout comme l'entretien de son cabriolet. Le pire, c'est que Luc s'en fichait, comme de tout, et qu'il n'en a rien dit. De toute façon, pour Rose plus rien ne pouvait la protéger. Son cancer s'en est chargé. Aristide est mort d'un arrêt cardiaque. Luc d'un accident de voiture un soir d'orage. Prudence avait renoncé depuis longtemps à me persuader de porter plainte contre mon mari, et personne vraiment n'a su aider Rose en dehors de nos misérables présences. Nous nous sommes habituées à nos maris, comme un vide à combler qui est resté aussi vertigineux que les falaises. Ils vivaient rarement sous le même toit et s'évitaient pour ne pas avoir à s'affronter. Rose et moi étions punies d'être nous-mêmes. À force d'être sur la retenue, la discrétion et la honte, nous avons vécu à Glass comme deux sœurs en souffrance qui s'ignorent. Je ne regrette pas d'être une Mortemer. Je m'en veux surtout de n'avoir pas été une femme à la hauteur. Les mots me manquent pour implorer le pardon de Rose.

Marnie

Jane dit que j'ai bien fait d'embrasser Vincy et qu'elle
n'est pas jalouse. Elle a changé d'avis, comme ça, elle veut
m'apprendre le vertige des falaises. Moi, je ne sais pas
trop si j'en ai envie. Je préférerais marcher au-dessus
du vide. Pour l'instant on est assises dans l'herbe et le
vent embrouille nos cheveux défaits. Ceux de Jane sont
blonds comme la crinière d'une lionne. On est capables de
rester des heures ainsi sans rien faire. Jane trouve que j'ai
grandi. Je pousse comme le haricot magique qui bientôt
va atteindre les nuages. Je suis sûre que là-haut c'est plus
sympa qu'ici. J'y emmènerai Rose, Jane, Olivia, et Vincy.
Non, pas lui. Je n'ai pas besoin d'un garçon là où tout
va bien. Et je sais que Rose, Jane et Olivia n'auront pas
envie d'hommes non plus. On sera mieux entre femmes.
Les hommes sont dégoûtants. Les hommes sont violents.
Les hommes sont stupides.
— À quoi tu penses ? me demande Jane.
— Comment tu sais que je pense ?
— Je le sens. Tes ondes sont comme la fumée des ciga-
rettes de Vincy, elles viennent me chatouiller les narines.
Je fixe Jane qui, à son habitude, ne regarde rien. Son
visage est gracile, son nez en trompette, ses yeux étranges

74

sont noisette. Son regard fuit sous la paupière. Elle s'habille comme moi. Quand il gèle, on ajoute un pull ou un vieux K-way qu'on zippe jusqu'au menton. Jane connaît l'Île par cœur et s'y promène sans danger. À la voir, on ne peut s'imaginer qu'elle est aveugle. Elle hésite parfois devant un visage inconnu qu'elle doit parcourir avec ses mains pour se rassurer ou s'en détacher. Au son de la voix, elle sait à qui elle a affaire.

Elle se lève et me tire par la main. Nous approchons toutes deux du bord des falaises. On entend au loin la voix de Prudence qui nous ordonne de revenir. Le vent étouffe ses cris. Jane m'encourage à imiter ses gestes. J'avance un pied, puis l'autre, comme une danseuse. Je sonde la terre sous mes pointes. Je prie pour qu'elle ne s'effondre pas. Le vent joue avec moi comme si j'étais un lacet de ballerine.

— N'aie pas peur, me dit Jane.

Je n'ai pas peur. Je me suis assise tout au bord, près de Jane. Mes petites jambes se balancent dans le vide, et sous mes cuisses du sable s'effrite en pluie fine. Je regarde mon Île, ses champs plats. Les herbes par milliers sont aussi hautes que des allumettes. Les chemins sont dessinés aux crayons de couleur, du vert, du jaune, de l'or, du tabac ; les granges ressemblent aux hôtels du Monopoly. La mer est immense et peinte à l'indigo. On aperçoit le Continent, une ligne qui ondoie à l'horizon. Je me penche et je ne ressens rien. Je pourrais basculer et m'écraser tout en bas sur ces rochers comme la Jaguar de papa. Jane chantonne. Elle a fermé ses yeux pour mieux voir. Je ne sais pas ce que représente pour elle ce vertige des falaises où elle vient chaque jour, comme une fleur qui cherche l'eau, mais pas un vase. Le vent nous gifle. La voix de Prudence surgit de nulle part. Elle est juste derrière nous.

— Voyons, il faut rentrer, dit-elle comme si nous avions toutes deux décidé de sauter.

Jane fait non de la tête. Je m'allonge à nouveau et regarde Prudence au-dessus de moi. Un vrai laideron. Elle porte une cape noire qui claque au vent et lui recouvre la tête. Je lui dirais bien de s'en aller, mais je sais combien grand-mère n'apprécierait pas. Je me hisse avec mes mains tout en reculant et je me relève. Prudence m'attrape par le bras et me ramène à la maison. Elle me propose un chocolat chaud. Je dis : « Non merci » et je monte m'enfermer dans ma chambre. Je déteste Prudence. Un jour, j'aimerais bien avoir un chien, mais grand-mère dit qu'on les pleure plus que les gens. Je n'aurais jamais dû obéir. Je serais restée avec Jane et je lui aurais demandé pourquoi elle aime tant s'asseoir au bord du vide.

Olivia

La vie s'écoule aussi vite qu'une poignée de sable entre les doigts. Les jours ne se ressemblent pas sur l'Île, à cause du charme que cet endroit exerce sur moi depuis que j'y suis née. J'aime marcher avec Marnie ou seule le long des falaises, ou des sentiers qui mènent au bois. M'abriter sous la tonnelle et lire tout un après-midi. Rentrer à Glass et admirer l'œuvre d'Aristide à défaut de l'homme. Je ne devrais pas l'écrire, mais j'en profite davantage depuis que j'ai perdu mari et fils. Je ne l'ai dit à quiconque d'ailleurs. Même à Côme. Il en sait déjà bien trop à mon goût. Aristide s'en est douté, très certainement, le jour où il a cessé de mettre les pieds à l'église. Le diable est en chacun de nous et nous continuons malgré tout à tenter d'expier nos fautes. Pour ceux qui osent, sans aucun doute. Je sais bien que mon mariage avec Aristide a rompu un certain équilibre avec les habitants de l'Île. Après tout, j'ai épousé un inconnu qui venait de bien plus loin que le Continent et avait rasé la ferme de famille pour y bâtir sa folie. J'ai bien remarqué à l'église que les regards n'étaient plus les mêmes. J'étais partie trop longtemps. Trente ans presque. J'ai entendu les chuchotements dans mon dos. J'ai même reçu une lettre anonyme qui me demandait de retourner en Afrique comme les putains de mon genre. J'ai brûlé ce courrier dans le feu de la cheminée, sans le montrer à Aristide. Je n'avais pas envie d'attiser sa colère. Ces rumeurs ont fini par cesser. Tout s'interrompt quand on sait attendre. J'aime être seule. On peut l'être tout en étant mère et mariée. En trente ans, aucun habitant ne m'a manqué. Même Géraud. La terre sous mes pieds est celle de mes ancêtres. Et je ne voudrais pour rien au monde changer quoi que ce soit.

C'est à cause de l'Île que j'ai fini par m'habituer à la violence d'Aristide. Je devais penser à autre chose quand il me frappait. M'abstraire d'une certaine manière de la réalité. Je *disparaissais* sous l'eau d'une piscine. Je ne remontais à la surface qu'au moment où la porte claquait. Je nageais sans penser à la respiration qui m'aurait obligée à remonter plus tôt. Je devenais une marionnette qu'il pouvait désarticuler comme bon lui semblait. Le bleu de la piscine était assez foncé, comme la mer ici pendant l'hiver. Je m'appliquais sur mes longueurs car ma vie en dépendait. Aristide ne se rendait pas compte qu'il tenait un pantin entre les mains. Ou peut-être était-il aveuglé par sa violence. J'étais sauvée, de toute façon. Et d'une certaine manière j'avais trouvé un moyen de lui résister et qu'il renonce au plaisir que cela, je suppose, lui procurait. Mes séances de natation ont sonné le glas de sa violence. En quelques années, j'étais devenue une championne de compétition qui n'épargnait ni ses efforts, ni sa concentration. Aristide s'acharnait sur un mannequin de chair qui ne ressentait plus la douleur. J'empruntais ces modèles à la boutique de Rose. Je gagnais toutes les médailles. Lui perdait la guerre. Il a cessé de me battre les sept dernières années de notre vie. Et pourtant, je n'en ai retiré aucune gloire. Je ne l'ai haï que davantage. Je n'ai jamais osé en parler avec Rose. Je fuyais la transparence du verre de cette maison, où seul l'acier me rendait invincible. J'imagine qu'elle avait, elle aussi, sa piscine, pour ne plus penser aux retours de Luc. J'espère que la plupart des femmes battues finissent par s'inventer un monde qui, s'il n'atténue pas la douleur des coups, offre tout de même un abri sous lequel elles peuvent s'échapper un moment. J'ai eu beaucoup de chance, toute ma vie. Je n'ai manqué de rien. Je n'ai fait qu'un vœu, et il a été exaucé : je finirai mes jours sur l'Île. Les titres, les actions, et tout l'argent que j'ai reviendront en grande partie à Marnie. Elle pourra voyager toute sa vie si elle le souhaite. J'ai vu le monde, je l'ai senti, apprivoisé, découvert, aimé. J'en ai pleinement profité. Rien n'est plus beau et rassurant que mon Île.

Marnie

Vincy a acheté des billets pour le Continent. Jane n'a rien dit à Prudence. J'ai fait de même avec grand-mère. Nous serons rentrés ce soir ou demain. Nous avons peur et nous sommes très excités en même temps. De toute façon grand-mère et Prudence le sauront. On peut nommer tous les habitants de l'Île qui vont prendre ce ferry, dans un sens comme dans l'autre. Le premier à nous saluer c'est le docteur Delorme. Je l'aime bien. Il vit tout seul dans une maison abandonnée où personne ne fait le ménage, ni le repassage. Il passe sa vie à guérir des gens. Il ferait mieux de les laisser mourir et de s'occuper de lui. Vincy a gardé des places sur le toit. La traversée dure une heure et demie. On a mis Vincy au milieu pour se réchauffer, le vent souffle fort dès qu'on quitte la rive. J'ai rangé mes mains dans mon jean. Agatha nous fait signe, elle emporte avec elle des brassées de fleurs pour le Continent. J'en profite pour me rapprocher de Vincy et Jane aussi. Chacune une moitié de bouche. Vincy rougit, Jane ne le sait pas. Octavie, la femme du boulanger, hoquette et finit par nous tourner le dos. Elle transporte des dizaines de baguettes sur le Continent et un sac de croissants et de pains au chocolat. Je pense à papa qui faisait souvent ce trajet, assis peut-être à ma place, fuyant l'Île, maman et moi. À moins qu'il ne soit resté au volant de sa Jaguar, trop pressé de quitter le ferry. À la moitié du trajet, en pleine mer, j'hésite. J'ai envie de retourner sur mon Île. Le désir du Continent, dix fois plus grand que l'Île, l'emporte. Une journée ne suffira pas, je le sais bien. Jane a fermé les yeux, la tête en arrière, le vent se couche sur elle. Vincy a passé son bras sur mes épaules que je hausse exprès. Je ne lui appartiens pas. J'ai détaché mes cheveux roussâtres, je sais qu'il aime bien. Je me lève, vole un croissant dans le sac d'Octavie assoupie, et me penche au-dessus de la rampe. Une large écume blanche fouette le ferry, des petits poissons sautent comme des bouchons de champagne. Jane pose sa main sur la mienne.

— Tu sens la mer ?

— Oui, Jane, je la sens. Le plus doux des parfums.

On rigole parce que ça pue le fioul. Vincy, resté à sa place, nous sourit.

— Tu as bien fait de lui planter un compas dans le ventre, me dit Jane, sinon on ne l'aurait même pas remarqué.

Je ne vais quand même pas poignarder tous les garçons à l'école pour mieux les approcher. Et pourquoi il nous sourit comme ça, Vincy ? C'est agaçant à la fin. Je regarde la mer. Je défie le Continent qui s'approche. Je me dis que bientôt je serai vieille et morte. Et que je dois profiter de ce moment. Je fais signe à Vincy de venir plus près. On reste là, tous les trois, appuyés contre la rambarde, à compter les petits poissons et les mètres qui nous séparent du quai. On y est. Géraud Delorme est accueilli sur le quai par une dame affolée qui lui prend le bras et l'emmène vers une voiture rouge. Nous, personne ne nous attend. J'imaginais qu'une fois sur le Continent je sentirais un parfum sucré et que je n'aurais qu'à le suivre.

Quelle idiote je suis. Je respire juste le sel, l'essence et les fleurs d'Agatha qui viennent de me passer sous le nez. Vincy nous invite dans un café qu'il connaît, au bout du quai, à l'entrée du Continent. Les chaises sont en paille. Le patron porte une boucle d'oreille dans le nez. On se décide pour trois sirops d'orgeat. Un chat se faufile entre mes jambes. Je le repousse du pied. Je déteste les chats. Quand j'étais toute petite, je me suis approchée d'un petit chat tout mignon qui m'a griffé le visage. Jane dit que c'est le plus beau jour de sa vie. N'importe quoi. Comment peut-on savoir ce genre de chose tant qu'on n'est pas vieux ? Vincy m'attrape la main. Je la retire aussitôt. Ce n'est pas le plus beau jour de ma vie. On va marcher au hasard des trottoirs, peut-être même acheter un petit bijou qui coûte pas cher. Je sais bien que papa est mort, mais j'ai peur de le croiser au détour d'une rue.

Marnie

Le soleil inonde le pavé, lèche les façades des maisons, rougit nos peaux blanches. Le vent flotte au-dessus de la mer et dans mon Île. On étouffe sur le Continent. Vincy entre dans un supermarché et nous achète des Fanta glacés. On marche sans but, avalant cette boisson orange, le nez en l'air. Ici je ne connais pas une âme, les cafés sont remplis de gens que je n'ai pas envie d'approcher. Les fenêtres au-dessus de nous sont ouvertes, une vieille dame nous regarde passer, une femme en soutien-gorge se laisse mordre par le soleil, un homme, torse nu, suit d'un regard intéressé la créature juste devant nous, ou plutôt ses longues jambes perchées sur des talons de dix centimètres. Elle porte un short en jean et une chemise blanche ouverte. Ses longs cheveux bruns détachés suivent sa démarche féline. Papa l'aurait peut-être abordée pour lui offrir un verre à l'une de ces terrasses où les gens, debout, attendent une place, en piétinant. Ce n'est pas le seul café du Continent quand même. Elle sent bon le pamplemousse. Elle disparaît au coin d'une rue d'un pas décidé. Je la suis. Vincy et Jane m'emboîtent le pas. Elle s'arrête devant une maison à deux étages. Elle appuie sur une sonnette. Je lui dis : « Bonjour. » Elle retire ses lunettes de soleil et me considère sans répondre. Son corps est bronzé. La porte s'ouvre. Elle la retient d'une main et me demande ce que je veux. Je ne sais pas. Je la regarde disparaître derrière la porte à sonnette. Elle a haussé les épaules. Vincy aimerait savoir si je vais suivre toutes les jolies filles du Continent. Jane rigole. Moi, non. Je me dis que ce devait être son genre de femme. *Tout ce qui brille d'insignifiance*, dit grand-mère. Je sens la colère rougir mes pommettes.

— Le soleil me brûle les yeux. Je veux des lunettes noires ! j'aboie à Vincy.

Je montre du doigt l'opticien sur le trottoir d'en face. J'essaie plusieurs paires, Vincy donne son avis, je ne l'écoute pas. Je prends exprès celles qu'il aime le moins et je le laisse payer. La rue renouvelle sa couleur, tout est brun. Un parfum piquant pénètre mon nez. Je relève la tête. Une belle femme rousse vient de me dépasser. Sa robe est verte comme les champs de l'Île. Je la rejoins et lui demande si le nom de Luc de Mortemer lui dit quelque chose. Elle me regarde comme si j'étais un moustique sur sa peau pâle. Puis elle dit quelques mots que je ne comprends pas. Je désespère. Je ne sais pas la langue du Continent. Vincy dit que ça n'a rien à voir, que la dame en vert est d'ailleurs et qu'elle a juste souhaité que je la laisse tranquille. Ce garçon m'énerve, il sait tout. Je préfère penser que tout le monde ici parle un dialecte qui m'est inconnu et que je ne saurai jamais ce que mon père venait y chercher. Maman pourtant me l'a répété plusieurs fois dans le noir de sa chambre. *Les nuits plus belles et plus attirantes que les jours.* Je dois attendre que le soleil disparaisse comme un jus de pomme avec sa paille. Espérer la nuit noire où plus rien n'est pareil. Je dis à Jane qu'il n'est pas question de rentrer ce soir et tant pis si ça barde sur l'Île. On dormira sur un banc, dans un square, j'en ai vu plusieurs en passant. On se tassera un peu et on ne laissera personne nous faire de mal. On continue de marcher dans les rues. Vincy repère un petit café qui s'appelle « Infini ». Je commande des œufs au plat et beaucoup de pain. Et une carafe d'eau, ça ne coûte pas cher. J'engloutis les œufs, j'ai trop faim. Je trempe mon pain dans la bave blanche et jaune, je lèche l'assiette. Vincy me fixe une fois de plus. Je sais qu'il regarde surtout ma bouche et qu'il aimerait bien la cueillir à tout instant comme une fleur d'Agatha. Mais il peut bien attendre, rien ne presse. On a toute la vie pour s'échanger nos microbes. Il n'a qu'à embrasser Jane en attendant. Je ne suis pas jalouse, je m'en fiche. Les garçons sont tous bêtes et ne savent jamais quoi faire de leurs mains. Elles se cachent dans leur dos, honteuses d'exister, ou se croisent sur leur ventre pour mieux prier. Les filles comme moi n'exaucent pas leurs vœux. Je pose mes lunettes noires sur son nez pour ne plus voir le bleu de ses yeux. Je prends la main de Jane que je pose sur sa cuisse. Je bois l'eau offerte à la paille pour que dure le plaisir. Je pense au banc où nous allons dormir, à grand-mère qui va me disputer, au casino où nous n'irons pas.

Je réfléchis à papa qui ne se posait aucune question. Je demande à Vincy s'il peut nous offrir une nuit à l'hôtel, ce sera plus confortable que le banc. Je dis qu'un lit nous suffira. Vincy sourit. C'est donc oui.

Marnie

La nuit s'est répandue sur tout le Continent comme une flaque d'eau sombre. Vincy nous a offert à chacune une petite robe d'été dans une boutique où tout était en soldes. Celle de Jane est citron, la mienne sanguine. L'hôtel s'appelle « Le Continent ». À la réception, le vieux monsieur a levé ses sourcils quand on a réclamé une chambre pas chère. Il a hésité entre plusieurs cases, tout en se tenant le menton. Je crois qu'il ne voulait pas savoir ce qu'on faisait là. Quand il nous a tendu la clé, on lui a offert nos plus beaux sourires tandis qu'il se grattait la tête. Vincy a dit qu'il avait sûrement des poux ou un truc comme ça. Je suis sûre qu'ailleurs on nous aurait interdit l'accès aux chambres. Mais vu le nombre de clés sur le panneau derrière lui, je comprends mieux qu'il ait dit oui. La chambre est petite, avec un balcon qui donne sur la mer au loin. Vincy fume une cigarette assis sur une chaise et regarde dans la direction de l'Île. Le lit avec les draps blancs est assez grand pour nous trois. La couverture qui le recouvre est en laine grise. Dans le tableau au-dessus du lit, un bateau tangue sur une mer déchaînée. Les chaises sont dépareillées, les petites lampes de chevet en cuivre, les tables de nuit en bois blanc, la moquette crème est tachée à plusieurs endroits. Jane entre dans la salle de bains, caresse d'un doigt le rebord de la baignoire, et tourne les robinets. Je rejoins Vincy sur le balcon. Il boit une petite bouteille de whisky piquée dans le frigo. Ses joues sont rouges. Je ne sais pas si c'est le soleil ou le whisky qui lui monte à la tête. J'attrape son verre, je bois dedans. Ça brûle comme une allumette tombée dans le gosier. Je dis que ce serait bien de passer devant le casino, juste pour voir. Vincy dit oui de la tête, il a perdu sa langue. Je m'assois en face de lui, dos à l'Île, et j'installe mes pieds nus sur sa jambe. Je me penche pour lui retirer le mégot qui lui pend aux lèvres. J'aspire une bouffée. Je tousse pour la dernière fois, je préfère la fumée qui s'échappe des marmites de Prudence. Je penche ma tête en arrière et contemple le plafond piqueté de centaines de petites étoiles. Je n'en ai jamais vu autant. Je pourrais rester dans cet hôtel toute ma vie, à regarder ces bijoux scintillants sans me soucier du temps qui passe. Je deviendrais vieille et moche, mais heureuse d'être là, parmi les étoiles.

Marnie

J'ai pris une douche vite fait, je n'aime pas me laver. Je me suis coiffée avec les mains en me regardant dans le miroir. Je n'ai jamais porté une aussi jolie robe. Elle me donne au moins seize ans, mais ce n'est pas assez pour entrer au casino. Jane embrase la pièce, on pourrait éteindre toutes les lampes. Vincy a enfilé une nouvelle chemise à carreaux blancs et verts, et ses yeux tanguent comme le bateau au-dessus du lit. On quitte l'hôtel, le casino n'est pas loin, à deux rues d'ici. On s'arrête dans un café où les tables débordent sur le trottoir. Vincy commande des sandwichs jambon-beurre et une carafe d'eau. On s'attarde dans ce bistrot où les gens ont l'air heureux. Mais j'ai appris à me méfier des sourires. Ce sont des masques qui cachent la vraie nature de ceux qui les portent. Papa souriait tout le temps, au volant de sa voiture décapotable, à table, ou en montant les escaliers. Il souriait à maman, à grand-mère, à moi. Puis il s'évanouissait dans la nuit, comme ces étoiles filantes dont on suit le trajet à la vitesse d'un claquement de doigts. Un sourire de menteur qui profitait de la pénombre pour mieux nous tromper. Autour de nous, ce n'est que bruits de verres, de couverts, de rires qui montent au plafond.

Les hommes ont remonté leur chemise jusqu'aux coudes, les femmes retirent leurs chaussures sous les tables. Tout le monde se fiche bien de Luc de Mortemer. Même moi. Je le déteste. Je ne souhaite pas sa mort, c'est fait. Je dis à Jane qu'elle est belle. Je lui dis parce qu'elle ne le sait pas et que cet imbécile de Vincy ne lui a rien dit. Jane me caresse le visage. Dehors l'air est doux, on pourrait se croire en été. J'essaie de marcher comme la dame en vert qui parlait une autre langue. Mais je ne porte pas les bonnes chaussures. Nous nous arrêtons devant le casino, immense gâteau meringué, tout enguirlandé d'ampoules blanches. C'est un peu comme si j'étais devant la maison de Luc. Il a passé plus de temps ici que chez nous, sur l'Île. Même si on me laissait entrer, je refuserais. Je le vois parmi tous les hommes qui entrent en habits noirs, au bras d'une femme qui n'est pas la leur. Maudits soient-ils. Maudit soit Luc de Mortemer. J'ai presque envie de pleurer et je ravale mon chagrin. Je suis dure comme la pierre. Je suis méchante. Et les méchantes au cœur de pierre ne pleurent pas devant un casino. C'est comme offrir un cadeau à papa dont il ne veut pas. Si je me laisse envahir, je vais attraper le cancer de maman et passer le reste de ma vie dans une chambre aux rideaux tirés. Je suis une Mortemer. Rien ne peut m'atteindre. Je saisis la main de Jane et celle de Vincy, et nous retournons à l'hôtel. Nous nous déshabillons en silence, en jetant nos vêtements dans le seul fauteuil, face au lit. On entre sous les draps frais et Vincy étend la couverture en laine grise qui nous recouvre comme une pierre tombale. Il s'est glissé entre nous et je sens sa jambe contre la mienne. Je ne sais pas ce que ressent Jane. Je l'interroge. Elle pouffe. Vincy me regarde avec les yeux d'un chiot qui vient de naître. Je prends son visage entre mes mains et dépose un baiser sec sur sa bouche.

— Tu n'auras rien d'autre.

Il renverse sa tête sur l'oreiller et sourit comme un grand bêta. J'éteins la lumière pour ne plus rien voir de lui. Sa liane s'est emmêlée à la mienne, son pied cherche le mien. J'aimerais bien savoir si son autre jambe en fait autant avec Jane. Je ferme les yeux pour que la nuit soit noire, mais je me trompe, le casino est dans ma tête avec sa guirlande d'ampoules blanches. Je croque dedans pour en connaître son goût. On dirait de la terre rouge du cimetière. Je m'écarte légèrement de Vincy, je ne veux plus rien de lui. Dans la nuit, quand il me prend dans ses bras, je fais la morte. Je ne dors toujours pas. Je pensais à Rose, à ses baisers papillons. Je sens la chaleur de Vincy tout contre moi, son souffle dans mes oreilles et ses mains posées sur mes bras. Je n'exige rien d'autre.

Olivia

La petite a passé la nuit ailleurs. Ce n'est pas la première fois, mais je pensais ses escapades loin derrière nous depuis la mort de son père. Je me sens responsable de Marnie pour l'avoir trop protégée des secrets de notre famille. J'aurais dû la sermonner certainement dès sa première fugue, mais elle avait toutes les excuses de son jeune âge. À croire qu'elle imitait Luc. Lui n'a jamais été un fils, ni un père. Encore moins un mari. Je le regardais vivre sous notre toit, impuissante, sans la moindre autorité sur lui, comme une parente éloignée. Il me souriait sans entendre mes remontrances et n'en faisait qu'à sa tête. Seule Prudence, parfois, savait lui faire entendre raison. Je m'en remettais à elle, la suppliais de lui rappeler qu'il avait une femme et une fille, et qu'il cesse de disparaître des semaines entières. La petite jouait sur l'herbe, près des falaises. Elle ne réclamait aucun d'entre nous et restait des heures à habiller ses poupées de vêtements cousus par Prudence. Elle y passait ses journées, contemplant le ciel si aléatoire sur cette Île, et finissait par rejoindre sa mère qui l'appelait pour un film. Parfois je les rejoignais de guerre lasse. Mais je me lassais vite de leur silence et de ces films trop joyeux qui me rappelaient combien nous ne l'étions pas. Cette maison était devenue un mausolée où nous allions toutes périr de chagrin. Luc revenait, ivre pour la plupart du temps, ses vêtements empestant l'alcool et le parfum, sa Jaguar garée devant la maison. Je le guettais des heures par ma fenêtre et retournais chercher Marnie pour la coucher, souvent assise dans les escaliers. Le matin, je lui prenais la main, nous descendions jusqu'aux bois. Elle marchait pieds nus sur les sentiers caillouteux, je savais le cuir de sa peau aussi tanné que le mien. Ce n'était rien comparé à ma colère que je tentais de maîtriser en étouffant sa petite main fortement dans la mienne. Marnie ne réagissait pas. Je me demandais à quoi ressemblait son monde intérieur, si elle comprenait tout ce qui se passait sous son toit. Contrairement à son père, Marnie ne sourit presque jamais. Elle ne semblait pas malheureuse non plus, ses notes à l'école étaient excellentes. Cette histoire de compas m'a perturbée et je m'en suis confiée auprès de Géraud et de Côme. C'est arrivé avant la mort de son père, un geste d'une rare violence qui ne ressemblait pas à Marnie. Jamais je ne l'avais vue en colère, tout est si contenu chez la petite. Je la sentais bien se raidir quand son père s'enfuyait. Comme si tout son être refusait ce qu'elle voyait, gardant le meilleur auprès de sa mère qu'elle habillait parfois comme ses poupées et qui se laissait faire par tant de douceur. Géraud a parlé de dommages collatéraux. Il est étonnant que la colère de Marnie ne se soit pas manifestée avant. Elle aurait très bien pu assister à une bagarre entre Aristide et moi. Les cris et les coups l'auraient effrayée et elle se serait enfuie comme un oiseau entendant un coup de fusil. J'ai du mal à le croire. Marnie serait venue m'en parler. C'est trop pour une petite fille de son âge. Je l'ai consolée plus d'une fois, la prenant dans mes bras et caressant sa tête auburn. Je lui disais que son père finirait par rentrer, qu'il ne les abandonnerait jamais. Son regard était sec, pas une larme, pas davantage quand elle a su qu'il ne reviendrait plus. Ses grands yeux verts interrogatifs, et sa main dans la mienne, cherchant à s'échapper pour mieux courir dans les bois. Ses yeux fluctuant comme les miens et ceux de Rose, au gré des tempêtes. C'est à la mort d'Aristide que Marnie a refusé de me suivre à l'église. Elle ne voulait plus y retourner. En m'offrant le plus rare de ses sourires, elle m'a dit :

— C'est non négociable.

Marnie

Je retournerai peut-être un jour sur le Continent. Mais sans Jane et Vincy. J'attendrai mes dix-huit ans. Je me perdrai dans les rues à suivre ces femmes aguichantes que je guetterai à l'entrée du casino. J'essaierai de comprendre ce qui le retenait tant sur cette terre où il a perdu pied. Maman était si belle avant le cancer. Un rayon de soleil qui entrait dans toutes les pièces et nous éclairait de sa présence. Elle adorait allumer la radio à fond, choisir une musique sur laquelle elle pouvait danser et m'entraîner d'une pièce à l'autre dans une folle farandole. Elle riait, allumait une cigarette, vidait un verre de vodka et repartait de plus belle me tirant par la main, me faisant tourner sous son bras. La maison de verre nous reflétait comme un miroir. Nous passions du petit au grand salon, des escaliers aux chambres pour mieux nous effondrer sur le lit, le cœur battant, à bout de souffle. J'aurais voulu rester toute ma vie dans cette chambre, suffocante de bonheur, nos mains jointes que personne n'aurait pu délier. De battre si fort, nos cœurs auraient implosé, et Rose n'aurait plus jamais souffert.

Jane s'agrippe à l'épaule de Vincy pour descendre la passerelle. Je pose le pied sur mon Île, le vent me murmure à l'oreille que je lui manquais et balaie tous les nuages à mon retour. Le ciel est bleu comme sur les cartes postales de l'épicerie, toutes racornies. Nul ne les achète. Qui viendrait en vacances sur notre Île ? Aucun hôtel, pas de chambres d'hôtes. Les touristes débarquent sur le Continent et reprennent des bateaux plus grands qui les emmènent là où je n'irai jamais. Ils envahissent le casino, déambulent dans les rues en parlant une langue que je ne comprends pas. Parfois ils s'aventurent sur l'Île. Grand-père les chassait à la carabine quand ils tentaient de capturer notre maison dans leurs appareils photo. Ils sont facilement reconnaissables à leur short à revers, leurs chaussettes roulées en boule sur leurs baskets, la sueur qui dessine des pays sur leur tee-shirt, leurs manières du Continent et au-delà. Tout leur appartient, le sol qu'ils écrasent, les fleurs qu'ils achètent à Agatha, le café qu'ils boivent dans les bars. Petite, je leur écrasais le pied exprès et je les regardais droit dans les yeux, effrontée, jusqu'à ce qu'ils abandonnent leur air trop fier. Je leur donnais de mauvaises indications pour qu'ils se perdent dans les bois. J'ai toujours été comme ça. Je n'aime pas les inconnus. Je ne veux pas d'eux sur mon Île. Une fois, une dame en jupe courte m'a suivie, malgré la route opposée que je lui avais montrée du doigt. Elle s'est cachée dans les herbes hautes et nous a épiés. Je lui aurais bien lancé des cailloux mais elle a disparu avant que je n'aie le temps d'en ramasser une poignée.

Jane dit que j'ai ma tête des mauvais jours.

— Qu'est-ce que tu en sais, tu ne vois rien.

— Je sais à quoi tu penses quand tu vas mal. Je l'ai toujours su, pas besoin de voir pour ça.

Vincy regarde ses pieds. Lui aussi s'est tu pendant la traversée. Le pharmacien va sûrement lui en coller une. Ce n'est pas mon problème. J'ai dû blesser Olivia, je devrais hâter le pas. Qui sait ce que Prudence a pu lui raconter en mon absence. Je m'en fiche. Grand-mère de toute façon n'écoute personne, même pas moi. Elle est l'arbre centenaire sur qui tous les orages se sont abattus sans arracher la moindre écorce. Grand-père s'est éteint une nuit d'orage, tout comme papa. Je revois le bon docteur trempé jusqu'aux os, se frottant la tête avec une serviette avant d'examiner grand-père et d'annoncer sa mort, due à un arrêt cardiaque. Puis la chute du bolide qui nous a toutes réveillées la nuit. Le chemin inondé où la Jaguar XK 120 a dévalé la pente vers les falaises puis basculé avant d'exploser sur les amas de roches. Papa ivre, une fois de plus, a perdu le contrôle de son cabriolet, et l'Île en colère l'a dévoré tout rond. Je n'ai pas pu dire à maman ce qui s'était passé ce soir-là. Ni moi, ni qui que ce soit. Elle est à peine consciente. Elle l'a su sans rien entendre. Elle dit qu'il est parti pour ne plus revenir. Elle a raison.

Géraud

Je recueille souvent les derniers mots des morts. Un sommier sous lequel ils ont caché leurs économies, un prénom de femme qu'ils ont aimée plus que la leur, un fils caché à l'orphelinat du Continent. Je suis semblable à Côme, le prêtre de cette Île, nous sommes liés par le secret de notre profession. Je ne dis rien, j'avale ces dernières confidences comme une soupe trop chaude. J'ai parfois du mal à déglutir. Je suis né ici et je n'ai jamais vraiment connu de femme sur l'Île. J'aurais pu être tenté par le Continent qui m'offrait une meilleure vie, et peut-être une épouse qui aurait aimé notre quotidien qui n'en est pas un. Je ne passe que très rarement chez moi. J'y dors juste quelques heures. J'enjambe les chemins, cours à travers les bois, longe la falaise, on m'attend dans plusieurs endroits à la fois. Je suis toujours en retard. Comment pourrait-il en être autrement ? Ma sacoche de médecin est lourde d'ustensiles et de médicaments d'urgence que j'offre à la plupart de mes malades. Il m'arrive de soigner des patients sur le Continent. Je suis toujours mieux payé, mais je préfère ceux de l'Île. Je suis sentimental, je les fréquente depuis ma naissance. Je pense parfois à cette femme qui m'a montré sa poitrine. Agatha. Elle est toujours là. Je

la suis parfois pour ses angines blanches qui la laissent
sans voix. Je reste chez elle plus qu'il ne faut, et je suis
encore plus à la bourre. Je connais les mots qui apaisent,
pas ceux qui donnent la fièvre. Elle m'a embrassé aussi
sur la bouche. Un baiser où se sont mélangées les roses
et les pivoines. J'en ai lâché ma sacoche. J'aurais dû la
prendre dans mes bras. La renverser sur ce lit où je l'avais
examinée. Je suis resté là, les bras branlants, comme l'idiot
de l'Île que je suis. Vingt ans nous séparent. Elle pourrait
être ma fille. Agatha a voulu savoir si j'étais attiré par
elle. J'ai réfléchi aux mourants qui m'attendaient, dont
je me détournais en restant ici. Je n'ai jamais su penser
à moi. Je me suis enfui avec ma sacoche. J'ai sauvé plusieurs vies ce jour-là. Je me suis confessé à Côme. Ma
vie appartient aux autres. Je suis retourné plusieurs fois
chez Agatha. J'étais heureux de ses inflammations, elle
était bien incapable de m'embrasser ou de me parler. Je
la regardais s'endormir, j'oubliais mes prochaines visites.
Je rêve d'elle la nuit. Elle m'apparaît entièrement nue
dans l'unique pièce avec un énorme bouquet de pivoines
entre ses mains qui dissimulent son intimité. Dans mon
rêve le parfum des fleurs envahit tout jusqu'au réveil. Je
lui raconterais ce rêve, si j'osais. Je n'irais pas jusqu'à la
prendre dans mes bras. À ce jour, tous ceux et celles que
j'ai serrés contre moi venaient de perdre un proche. Je sais
consoler, j'ignore embraser. Je suis né à l'orphelinat du
Continent, je n'ai jamais su qui étaient mes parents. J'ai
été adopté par Ézéchiel, l'ancien médecin de l'Île qui m'a
tout appris. Je l'accompagnais, enfant, aux consultations. Il
voulait que je m'habitue aux mourants, à leurs odeurs, à la
souffrance des autres. À vingt ans, j'étais capable d'opérer.
À trente, il est mort d'une mauvaise gangrène que je n'ai
pas pu soigner. J'étais seul à supporter l'odeur pestilen-
tielle qui m'imprégnait comme le parfum du diable. Je l'ai

enterré. Côme a lu un passage de la Bible. Toute l'Île m'a entouré ce jour-là. J'ai su que ma place était ici et que je ne devais rien espérer d'autre. Ce vieux médecin ne m'a jamais dit qu'on pouvait tomber amoureux. Il était bien trop bourru pour ça. J'avais droit à un large sourire quand il était fier de moi, parfois une tape dans le dos qui me faisait perdre l'équilibre. Mais il ne m'a jamais serré contre lui. Il savait, tout comme moi, ce que cela voulait dire pour un médecin.

Marnie

Au diable les bonnes manières. Je m'allonge auprès de
Rose, mes baskets pleines de terre. Elle se tourne vers moi.
Son visage porte encore les plis de l'oreiller. Sa peau a la
couleur de l'olive. Je me suis habituée à ses gestes lents,
comme si tout était difficile, à commencer par vivre. Le
docteur Géraud lui a fait une piqûre de morphine pour
qu'elle ait moins mal. Je sais bien que cela ne va pas
durer toute la vie et que je devrai un jour accepter cette
chambre où le soleil entrera de force. Il y fait nuit, même
en plein jour. Les lampes de chevet sont allumées des deux
côtés, et c'est bien la seule chose qui demeure de Luc.
Toutes ses affaires ont été enlevées par grand-mère, le
contenu de sa table de nuit, jusqu'à son cendrier. Quand
je m'étends sur ce lit, je sais que je prends sa place. Je n'y
dors jamais, je ne veux pas fatiguer maman. J'ai attrapé
le docteur par la manche au moment où il descendait les
escaliers. Je lui ai demandé comment allait maman. Il m'a
dit, de sa voix douce, qu'on en avait déjà parlé plusieurs
fois ensemble. Je déteste la douceur de sa voix. On a bien
vu des paralytiques abandonner leur fauteuil roulant. Les
miracles, ça existe. Un matin, j'entendrai la radio à fond
et maman fera des bonds au-dessus de son lit. Elle n'aura

plus mal et tout redeviendra comme avant. Mieux encore.
Une maison sans hommes qui savent plus que la maladie
comment faire souffrir. Je raconte à maman mon premier
Continent avec Vincy et Jane. Comment j'ai suivi une
inconnue aux longues jambes perchée sur des talons de
dix centimètres et cette autre femme aux cheveux fauve
et à la robe verte. Je ne parle pas de Luc, ni du casino,
ni du banc où nous n'avons pas dormi. Tous ces mots
sont inutiles, comme des aiguilles dans sa chair blême. Je
tais l'hôtel un peu minable avec ses deux étoiles et son
balcon qui en compte des centaines. La cigarette que j'ai
essayée. Je ne suis pas sûre que maman m'entende. Je
lui parle trop vite, mes phrases roulent comme des billes
de garçons. J'ose Vincy, sa jambe contre la mienne, son
corps dans la nuit qui m'a rejointe, ses baisers comme des
portes qui s'ouvrent grandes, sa langue que j'ai mordue,
sa bouche dont je raffole. Mais maman s'est endormie
tout contre moi. Elle se fiche bien du premier garçon
qui s'intéresse à moi. Elle a raison. Les garçons sont des
mauvaises herbes qu'il faut arracher et jeter au fumier. Je
bondis hors du lit, je danse comme maman m'a appris,
à en perdre la tête. Je n'ai pas besoin de la radio. Mes
oreilles soulèvent leurs paupières, tout comme un œil,
la musique s'en échappe. J'ouvre les rideaux pour que la
nuit entre dans la chambre. Je détache mes cheveux et
me regarde dans le miroir face au lit, sans m'arrêter de
tourner. Je souris à la petite folle dans le reflet qui se
déhanche comme un pantin. Un sourire de rien du tout,
plus triste que celui des clowns. Je ne sais pas sourire.
On ne m'a pas appris.

Marnie

Je rentre de l'école. Grand-mère m'attend dans la cuisine. Prudence m'a préparé un chocolat chaud et une part de brioche. Le temps frappe à l'horloge, chaque minute émet un cliquetis. Si j'avais un chien, je lui donnerais toute la brioche, je n'ai pas faim. Je l'avale tout rond, comme tout ce qui me dégoûte. Puis je sors avec grand-mère qui veut descendre jusqu'au ferry pour m'offrir une glace. Je lui prends le bras. Nous faisons un détour par le cimetière, grand-mère a apporté des fleurs toutes fraîches, des œillets violets et rouges qu'elle dépose sur les tombes des morts. Elle reste un instant, penche sa tête légèrement de côté, et joint ses mains pour une prière que je ne veux pas entendre. Je change l'eau des vases. Je jette les fleurs fanées dans un sac en plastique que je dépose dans la benne à la sortie du cimetière. Je n'ai aucun discours qui me vient à l'esprit, ni le moindre souhait devant ce caveau où est enterrée ma famille. À l'école, j'ai eu des leçons de catéchisme et je n'ai rien retenu, comme tout ce qui m'ennuie. Je ne crois pas en Dieu. Ni en rien. Je me réveille chaque matin, heureuse d'être encore en vie. Un jour, je n'ouvrirai plus les yeux et je serai morte. Ce ne sont pas les prières d'Olivia qui bouleverseront quoi que ce soit. Elle peut pleurer ses hommes, moi je ravale mon chagrin. Et ce n'est pas Côme qui me fera changer d'avis. Je n'ai pas besoin d'un assistant pour parler à Dieu. Je lui ai déjà dit tout ce que je pensais de Lui. Je l'ai fait dans sa maison aux plafonds trop hauts qui donnent le vertige. Jamais là, comme papa. C'est comme crier au bord des falaises sans colère. Je préfère quand le vent emporte tout. À l'église, avant, je restais toujours au fond, pour être la première à sortir. Je ne veux plus communier ni tremper mes doigts dans ce bénitier à l'eau trouble. La voix de Côme cogne aux vitraux, les chaises grincent au moindre mouvement, le vent s'engouffre par la porte entrebâillée et les fissures du mur. La maison de Dieu est une glacière.

Je roule les cailloux sous ma basket. Grand-mère relève la tête. Ce n'est pas un endroit pour une ado. Ni pour personne, d'ailleurs. On descend vers le bois. Le soleil joue à cache-cache avec les feuilles des arbres et blanchit leurs troncs. Je dis à grand-mère que j'ai dormi sur un banc du Continent.

— Sur un banc ? me demande Olivia, horrifiée.

Je ne sais pas pourquoi, je n'ai pas envie de parler de Vincy et Jane.

— J'y étais seule pour voir le casino.

— À quoi bon, ma petite, et puis tu n'as pas encore l'âge d'y entrer.

Je n'y jouerai jamais, même quand j'aurai l'âge de grand-mère.

— Je voulais comprendre ce qui l'attirait autant, je dis.

— Tu n'es pas comme Luc. Il ressemblait à ces papillons, tu sais, qui s'affolent sous la lumière de l'entrée.

— Je ne comprends pas.

— Eh bien, ton père a toujours aimé ce qui brillait, l'argent, les voitures, le casino et le reste. Sur l'Île il était comme un oiseau en cage. Enfermé entre quatre murs, il faisait vite le tour de l'Île avec ses bolides que nul ne remarquait. Alors il a rejoint le Continent, pour perdre l'argent de ton grand-père. Il nous a tous abandonnés. Il est pourtant revenu plusieurs fois, quand il avait besoin d'argent, quand vous lui manquiez, Rose et toi. Il est même resté plusieurs jours quand Rose est tombée malade. Mais c'était plus fort que lui, le Continent l'attirait plus fort qu'un aimant, toutes ces petites lumières sur la jetée, ce collier de perles pendu au cou du casino. Et pourtant, quelle ironie, c'est sur cette Île qu'il a fini ses jours.

Nous marchons le long de la route, vers l'école. Le soleil fait fondre le goudron, ça colle aux semelles de mes baskets. Je pense à ce que grand-mère vient de me dire : « Ton père a toujours aimé ce qui brillait, l'argent, les voitures, le casino et le reste. » Par le reste, elle entend les femmes ? Ce n'est pas une conversation que je peux avoir avec grand-mère. Elle a toujours préservé Luc, quoi qu'elle dise.

Olivia

Je suis toute remuée par la conversation que je viens d'avoir avec Marnie ce matin, tandis que nous allions nous promener jusqu'à l'embarcadère. Je n'ai pas osé lui dire les visites à son père sur le Continent. Je voulais que Luc nous revienne. J'avais juste besoin d'en parler avec lui. De me rapprocher de mon fils. Aristide m'a fait comprendre, avec sa violence, combien la vie précieuse peut vous échapper à tout moment. En temps ordinaire, on se croit invincible. Comme si on espérait ne pas être mouillé sous la pluie. Luc habitait dorénavant sur le Continent, dans une petite maison que je lui avais achetée au nez d'Aristide, sur la jetée, près de l'embarcation des ferrys. L'endroit était charmant, à deux pas de la mer, peint à la chaux blanche, avec des volets bleus, tout comme la porte d'entrée. Je m'étais assise sur une des chaises autour de la table. J'avalais à petites gorgées un thé dans une tasse qui venait de Glass comme toute la vaisselle que Prudence avait emballée dans des cartons. Je n'étais pas très fière de l'avoir éloigné de Rose, mais je crois que j'essayais surtout de le tenir à distance d'Aristide. C'était un miracle qu'il ait échappé à ce monstre. Luc s'est assis face à moi, près de la fenêtre par laquelle son regard s'échappait souvent. Il m'a demandé des nouvelles de Rose et de Marnie, puis d'Aristide. Je l'ai assuré que tout allait, sauf Marnie qui n'avait pas l'âge de comprendre. Cet endroit sentait encore la peinture fraîche. Il m'a répondu qu'il trouverait le temps de parler à sa fille, mais qu'il se fichait bien d'Aristide, contrairement à son argent. Vivre seul avait de nombreux avantages, mais l'argent manquait très vite. Il gagnait bien quelquefois au casino, assez pour ne pas revenir sur l'Île, mais bientôt il lui faudrait affronter son père, une fois de plus. Il s'est levé brusquement de sa chaise et m'a demandé soudain si Aristide me frappait encore. J'en ai presque lâché ma tasse de thé. Je me rendais compte que ma discrétion et ma naïveté s'accordaient bien ensemble. J'ai dit à Luc de se calmer, que j'en faisais mon affaire. J'étais suffisamment forte pour gérer mon époux.

— Assez pour avoir ouvert un compte à ton nom. Tu n'auras plus à lui réclamer quoi que ce soit.

— Pourquoi tu fais ça pour moi ?

— Pour que tu viennes nous voir à Glass plus souvent. Que tu sois là pour Rose et Marnie.

Je me suis levée à mon tour, je souhaitais visiter sa maison. On en faisait vite le tour. Au rez-de-chaussée, un coin salle à manger, un salon et une kitchenette. Au premier étage, une chambre et une salle d'eau. Je me suis assise sur la couette du lit défait, Luc s'est laissé tomber sur la seule chaise, ensevelie sous des vêtements jetés pêle-mêle. Il avait l'air si calme, comme Aristide, si ce n'était un tic à l'œil qui me mettait mal à l'aise. J'ai regardé furtivement par la fenêtre de sa chambre, le phare obstruait la mer. On ne voyait pas l'Île.

— L'argent n'achète pas tout, tu sais.

Je me suis tournée vers mon fils. Sa voix calme était aussi trompeuse que celle d'Aristide. Je n'exerçais aucune emprise sur lui, je n'en avais jamais eu. Je voulais juste que la douceur de vivre revienne à Glass. Je savais que le temps pour Rose était compté, je m'étais tue à ce sujet.

— Oui, j'ai répliqué, je ne peux t'obliger en rien, je le sais depuis longtemps. Je n'ai pas été la meilleure des mères non plus. Tout ce que je te demande, c'est d'être un père pour Marnie.

— Je ferai mon possible.

Luc m'a raccompagnée à la porte de sa maison bleue. Il m'a tenue à hauteur d'épaules et m'a embrassée sur le front. Je ne craignais pas Aristide en rentrant. Mon panier débordait de mensonges, assez pour lui raconter cette journée ou n'importe quelle autre. Je n'aimais plus Aristide. Je ressentais du dégoût et une haine infinis à son égard. Il m'attendait souvent dans la bibliothèque, avec son cigare et son thé qui sentait le whisky. Il revenait d'une longue balade que nous avions pris l'habitude de ne plus faire ensemble. Ses moustaches étaient devenues grises, tout comme sa face. Ses rares cheveux, épars, argentaient ses tempes et découvraient un large front sous un crâne dégarni. Je n'avais rien à lui dire et encore moins l'envie de partager une tasse de thé. Je l'évitais autant que possible. Je savais ses poings plus bavards. Ils pouvaient attendre. Tout comme mon prénom qu'Aristide n'appelait plus du fond de son fauteuil où il sirotait son alcool. Autrefois, je l'avais préféré en maillot de bain, puis en architecte génial, avant de succomber à ce charme fou qu'il exerçait sur moi. Ce temps-là était bel et bien enterré. Sa présence, même, me révoltait. J'étais descendante d'une longue lignée, devenue Mortemer. Je savais qu'il fallait suivre les règles et se tenir droite. J'ignorais encore à quel point j'étais capable de bouleverser cet ordre-là.

Vincy

Les filles sont barges. Surtout Marnie. Les autres ne m'intéressent pas. Elle me saigne pour mieux m'approcher. Elle vient à la maison s'excuser et se laisse embrasser. Mon père m'a dit de laisser tomber. De toute façon, il ne comprend rien aux femmes. La sienne, ma mère, nous a plantés tous les deux pour partir avec le boulanger en Grèce, dans les Cyclades. Je reçois deux cartes postales, une pour mon anniversaire, l'autre pour la nouvelle année. Elle ne parle jamais de papa. La boulangère aurait pu flirter avec mon célibataire de père, mais elle est trop moche avec ses yeux globuleux. Et puis c'est son affaire, pas la mienne. Pour aller sur le Continent avec Marnie, j'ai dû piquer dans la caisse de la pharmacie. Quand même dormir à l'hôtel avec Marnie, c'était trop cool. Cette fille me rend dingue. Elle fait ce qu'elle veut de moi. J'ai collé ma jambe à la sienne. Elle l'a laissée un instant. Et dans la nuit quand je me suis couché contre elle, elle n'a pas bougé. À l'école, je suis sympa avec Marnie mais pas trop. Je n'ai pas envie que les copains me charrient. De toute façon, Marnie, ce n'est pas le genre à fréquenter mes potes. Elle est trop bien pour eux. Je ne compte plus les boutons à percer sur leurs visages d'adolescents débiles. Et puis c'est une Mortemer, une légende sur cette Île. C'est vrai qu'elle n'a rien d'aristo. Elle est plutôt nature, Marnie. Mais on voit bien que ses silences cachent un truc. En plus elle ne sourit jamais. C'est rare. Même les filles qui ont des bagues dentaires essaient. Je me suis juré de lui apprendre. Je sais que je suis pas mal comme garçon. Je le vois bien dans les yeux des dindes qui me scannent. J'ai les yeux de maman, aussi bleus qu'un ciel sans nuages. Je sens que je plais à Marnie. Enfin, ça dépend. Des fois elle ose des choses, sinon je suis comme le caillou sous sa basket : je la dérange. Si elle s'était jetée à mon cou, je ne l'aurais même pas calculée. Non, elle m'a poignardé. Deux jours d'hôpital sur le Continent et des pansements pendant trois semaines. Et moi je suis raide. Un chien qui lui tourne autour. Aucun de mes copains n'a jamais embrassé une fille. J'ai rien dit. J'aurais pu frimer, mais après c'est que des emmerdes. Je pense à sa langue qui a chopé la mienne. C'est comme les autotamponneuses, en mieux. Je devrais l'inviter pour une balade sur la plage. Les filles aiment bien ce genre de truc. Oui, mais Marnie ne ressemble pas aux filles que je vois. Elle va trouver ça naze. Le cimetière, ça craint. Le bois, c'est pas mal. On pourrait s'allonger au pied des arbres. Y a de la mousse et des feuilles mortes, genre hyperconfort. Sinon, je lui propose de retourner sur le Continent. Là, c'est chaud. Ça m'a coûté une baffe que m'a refilée mon père, et encore, il croit que je me suis endormi dans une grange. S'il savait pour les cigarettes et parfois le whisky, je lui servirais de punching-ball. Ce n'est pas que je fume tous les jours, mais des fois ça impressionne les filles. L'alcool, c'est juste pour m'aider un peu, mais ça coûte cher, je ne tiens pas à me faire serrer par mon père. Ses baffes font mal, faudra que je le lui dise un jour.

Marnie

Après l'école, je dis à Jane que j'ai envie de marcher pieds nus sur la plage. Vincy nous regarde nous éloigner, il a cet air de chiot battu qui m'agace. Je l'aime bien, mais on a toute la vie pour s'apprécier. Rien ne presse, sauf la mer. Jane aimerait bien retourner sur le Continent. Je lui dis : « Pas maintenant. » On court sur le sentier qui descend vers la plage en se balançant aux branches des arbres. J'abandonne mes baskets sur les rochers et saute à pieds joints sur le sable. Puis je me retourne et tends la main à Jane. Je sais quand elle a besoin de moi. L'été arrive, bientôt on pourra se baigner même si l'eau reste froide.

Petite, je nageais avec maman le long de la plage. Je revenais au bord bien avant elle. J'admirais ses brasses que rien ne perturbait, pas même moi. Papa profitait du soleil, un peu plus haut, près des rochers à l'abri du vent. J'attrapais facilement un coup de soleil avec ma peau blanche à regarder maman nager. Le soir, maman me couvrait de Biafine, c'était ma récompense.

Jane a mis un pied dans l'eau et pense qu'on pourrait se baigner toutes nues.

— Je parie que tu regardes autour de toi si quelqu'un pourrait nous voir, dit-elle.

Je rougis. Des fois, Jane est dans ma tête. On fait valser les chaussettes, les jeans, le tee-shirt et la culotte. Je prends la main de Jane et on se précipite dans l'eau comme si toute l'Île nous poursuivait. Le froid me saisit tout entière. Ma peau rubiconde frissonne. Jane, imperturbable, reste dans l'eau. Elle ne sent ni le froid, ni le vent. J'attrape ma culotte et mon tee-shirt et je reste au bord, comme avant, à regarder Jane barboter dans l'eau.

Dès que maman sortait de l'eau, elle appelait papa pour qu'il me couvre avec sa serviette.

— Tu aurais pu la surveiller, disait-elle.

— Je dormais, répondait papa.

Je portais sa serviette de bain, imprégnée de crème solaire, comme un châle sur mes épaules. Nous ne quittions jamais l'Île. Nous avions le soleil, les orages, la campagne, la mer, et les falaises. Rien ne manquait ou presque. Sinon que ces moments ne duraient pas.

Jane enfile son jean et son tee-shirt, range sa culotte dans sa poche et s'assied à côté de moi. Le soleil va bientôt se coucher. J'ai du sable entre les doigts de pied, comme de minuscules bijoux indiens que la lumière fait scintiller. Pas question de me laver ce soir, je dormirai avec. Le ciel se décline en bandes de couleur. Je me sens bien avec Jane. Nous pouvons attendre que le jour s'éteigne pour de bon.

Mes grands-parents venaient parfois nous rejoindre sur la plage. Ils arrivaient ensemble sous un vaste parapluie blanc, se tenant le bras, et restaient sur les rochers. Ils agitaient leurs mains pour nous dire qu'ils étaient là. Parfois papa restait à leur hauteur. Seules maman et moi restions près de l'eau, allongées à même le sable. On faisait les escalopes panées en se roulant dedans. Je n'ai jamais réussi à prendre le teint brunâtre de papa. Au mieux, j'étais rouge brique. Maman ressemblait au pain d'épice de Prudence. Mes grands-parents, du haut de leur rocher, sous leur grand parapluie, restaient aussi blancs que le pape. J'avais des seaux de plage, des râteaux et des pelles. Une bouée aussi, tant que je n'ai pas su nager. Je construisais des pyramides avec le sable et mes instruments. Je me concentrais. Je refusais toute aide. Encore aujourd'hui. Je peux y arriver toute seule. Je n'ai besoin de personne.

— Pourquoi dis-tu que tu n'as besoin de personne ? demande Jane.

Des fois, Jane me fait peur, elle entend mes pensées. Je fais la crâneuse, mais c'est faux, j'ai besoin de Jane, ma seule amie à qui je ne dis pas tout.

Olivia

À la deuxième visite, Luc était endormi sur son lit à l'étage, en smoking. Ma montre indiquait tout juste midi. La pièce sentait la cigarette, l'alcool et le renfermé. J'ai ouvert grand la fenêtre, vidé le cendrier, préparé un café dans la cuisine, et je suis remontée m'asseoir au bord du lit. Je l'ai réveillé en secouant sa jambe. Il s'est levé mollement, en râlant, tenant sa tête entre ses deux mains. Je me suis rendue à sa salle de bains, j'ai trouvé l'aspirine. Je lui ai demandé de passer sous la douche, nous devions discuter ensemble. Je voulais ses idées claires et qu'il se débarrasse de cette odeur. Je lui ai tendu le Doliprane, qu'il a avalé en buvant l'eau à la bouteille. Quand je suis revenue dans sa chambre, il portait un caleçon et un tee-shirt avec une tête d'Indien. La nuit avait été longue, il avait trop bu et gagné une fortune dans une mallette qui gisait près de son lit. Il pensait quitter le Continent et recommencer sa vie ailleurs, là où personne n'avait entendu parler des Mortemer. Je lui ai dit qu'il était trop tard, que Géraud venait de recevoir le résultat des examens de Rose, qu'il s'agissait d'un cancer du pancréas qui lui laissait tout au plus quelques mois. Luc s'est assis sur son lit, les bras branlants, regardant le bagage comme une promesse qui s'éloignait.

Il a levé la tête vers moi.

— Que dois-je faire, maman ?

Il avait cet air désespéré qui me déroutait depuis son enfance. Dès qu'un problème surgissait, toute la beauté du monde prenait une couleur terne. Une sorte de mélancolie qui cessait dès qu'il récupérait ses jouets d'enfant ou d'adulte. J'aurais dû lui caresser la joue, l'apaiser avec des mots de mère, mais j'en étais incapable.

— Tu devrais rester quelques jours, t'occuper de Rose et de ta fille. Elles ont besoin de toi. Mais ne les habitue pas trop à ta présence, tu leur ferais plus de mal que de bien. Si tu te décides à partir, attends que Rose ne soit plus là. Je veillerai sur Marnie. Quand elle aura l'âge de comprendre, je lui expliquerai tout et ce ne sera pas nécessaire de revenir ici, sur l'Île, ou le Continent. Je suppose que nous n'aurons plus de nouvelles de toi, quand tu seras loin d'ici ?

— Non, maman, et je ne reviendrai plus jamais sur cette Île.

— Parfait, je vais t'attendre dans le salon. Prépare tes affaires pour quelques jours.

Au rez-de-chaussée, j'ai ouvert toutes les fenêtres, j'ai lavé sa vaisselle empilée depuis plusieurs semaines, les mouches volaient sous le plafond affolées par l'odeur. Je me suis appuyée sur l'évier, je ne me sentais pas bien. Je jugeais ridicule d'avoir nettoyé ce foutoir. Je n'étais pas sa bonne ; je devais juste occuper mes mains, ne pas flancher. Pour une fois, je n'impressionnais pas, ni mon argent non plus. Je ne l'avais jamais encouragé à travailler et je l'ai laissé mener sa vie de l'Île au Continent sans jamais le priver de quoi que ce soit. Luc serait certainement parti si je n'étais pas venue ce matin-là. Il se serait enfui pour de bon sans le moindre adieu. Enfant, ses pleurs m'agaçaient, je le laissais à Prudence. Adolescent coléreux, je ne comprenais rien à ses maux, je les confiais à Aristide. Adulte, il a épousé Rose sur un coup de tête, quelques jours après l'avoir rencontrée dans une boutique du Continent. J'ai pensé que cette jolie femme aux allures si gracieuses saurait le tenir en laisse, mais Luc est un chien fou qui n'a pas de maître. Aristide a menacé de lui couper les vivres s'il ne venait pas travailler avec lui et Luc a répondu qu'il n'oserait pas le laisser à la rue.

— Tente-moi, avait répliqué Aristide de sa voix glaciale.

Être père ne l'a pas fait davantage grandir, il n'a jamais su tenir Marnie dans ses bras sans faire basculer sa tête en arrière. Et Rose a compris qu'il n'y avait aucune attache possible, qu'elle devait élever cette enfant seule, entre les Mortemer et Prudence. Un peu comme le Macareux moine pond son œuf unique au fond d'un terrier qu'il doit creuser lui-même. Elle aimait Luc d'un amour sincère, elle lui pardonnait ses absences, car il finissait toujours par revenir. Elle poussait sur l'Île comme une fleur sauvage qui attend la pluie pour grandir. Elle ignorait que le vent, aussi fort que le temps qui passe, se moque bien des fleurs sauvages et les arrache d'un seul souffle.

Marnie

L'orage se prépare. La maison est aussi sombre que la chambre de maman. Nous avons allumé la lumière dans la bibliothèque pour grand-mère. La cuisine pour Prudence. J'ai installé quelques bougeoirs le long de l'escalier et Prudence a craqué les allumettes pour flamber les bougies. Je vais passer une partie de la journée dans la chambre de maman qui n'aime pas les orages. Et, ici, sur l'Île, ils sont très violents. Ils déracinent parfois les arbres, arrachent les ardoises des toits, coupent l'électricité. Le tonnerre gronde comme un animal sauvage furieux d'être en cage. Il grimpe le long des rampes, se glisse sous les portes, quand il ne cogne pas au verre comme un invité que personne n'attend. Les maillets frappent le xylophone, mais il faut avoir l'oreille fine pour les entendre. Mieux vaut se cacher et attendre que sa colère cesse, aussi violente qu'inattendue, une bête surgie des bois que rien ne dompte, ni n'arrête. Jane et Prudence sont parties préparer leur maison. Dehors la pluie lave les toits et les façades pour mieux les préparer à la catastrophe. C'est une pluie rare sur l'Île, elle précède la bête et prévient les habitants qu'il est temps de s'enfermer et de prier pour ceux que ça rassure. C'est par une nuit pareille que grand-père et papa sont morts, une pluie vigoureuse à ne pas voir sa main devant soi. Dans les escaliers les flammes des bougies s'affolent. Elles projettent sur les marches des silhouettes qui rampent et tentent de s'échapper avant de disparaître. Je rejoins maman. Elle m'attend. La lumière de sa lampe de chevet est allumée. Elle s'est calée sur ses oreillers et guette le moindre bruit. Elle m'ordonne de grimper bien vite sur le lit. Je m'allonge à côté d'elle et je laisse ma tête reposer sur l'oreiller de Luc. Je regarde le plafond. La lampe y dessine un soleil.

Je dis à maman :

— N'aie pas peur, je suis là.

La bête siffle sur le verre. Elle cherche une entrée par laquelle se glisser, s'aplatir et nous dévorer tout entiers. Elle frappe l'acier, comme si nous l'espérions, trempé par la pluie battante qui creuse les chemins et inonde les bois et l'école. Demain quand tout sera calmé, la plage aura encore rétréci, la mer aura gagné quelques millimètres. Le premier coup de tonnerre nous fait sursauter. Maman s'accroche à moi, je suis sa bouée en pleine mer, à la dérive, sans un bateau pour la repérer. Le soleil au plafond s'éteint. J'imagine grand-mère seule dans le petit salon sans lumières. Je me dénoue de maman, lui promets de revenir très vite et me glisse dans les escaliers entre le ballet des ombres et la nuit noire. Je connais ma maison. Je n'ai pas peur de l'orage. Grand-mère est dans son fauteuil. Elle lit un roman avec sa lampe de poche. Je m'assois à ses pieds un instant. Je ne peux pas laisser maman seule les soirs d'orage. Grand-mère me caresse la tête comme si j'étais son épagneul. Puis elle incline sa lumière sur les pages d'un livre qu'elle tourne lentement. Je m'endors sur place et juste avant j'implore maman de me pardonner.

Marnie

La bête s'est enfuie, le tonnerre gronde encore, les éclairs s'espacent. Prudence a remis le compteur en marche et remplacé les fusibles qui ont sauté. Les bougies dans l'escalier se sont éteintes sans un souffle, la cire s'est répandue en flaques sur les marches et le long des chandeliers. J'aiderai Prudence à gratter tout cela au couteau, plus tard à la cuisine. La pluie a cessé de battre aussi fort, je sors de la maison avec Prudence pour nous rendre compte des dégâts. Les arbres ont perdu leurs fleurs. Quelques branches gisent comme des bras morts. Les hortensias ont été soufflés comme des fleurs de pissenlit, leurs pétales bleus et roses se sont mélangés à la boue, comme si la bête s'était vautrée dedans. J'aperçois Jane derrière la fenêtre de sa chambre. Je sais que Prudence n'aime pas nous voir ensemble. Sous les bâches, dans le hangar, une ancienne voiture de Luc est rutilante. Prudence la nettoie au moins une fois par semaine. On se demande pour qui. Seules grand-mère et Prudence conduisent, mais Olivia préfère marcher. Je ne suis pas impressionnée par la vitesse, comme maman ou papa. J'aime la lenteur sur cette Île, marcher à pied comme grand-mère, rester des heures étendue dans les herbes hautes près des hangars, à regarder le ciel et donner forme à ses nuages. Je répète les mêmes gestes, du petit déjeuner au repas du soir où j'aide parfois Prudence à mettre la table. Je passe du temps avec maman et Jane. Je n'ai peur ni des orages ni de Vincy. Je retourne à la chambre de maman. Elle s'est assoupie. Je lui murmure à l'oreille que tout est fini. J'éteins sa lampe de chevet. Je retire mes chaussures et je m'étends tout habillée. Je me tourne du côté de Luc, son oreiller sent le propre. J'ouvre le tiroir de sa table de nuit, il est vide et sans la moindre poussière. Je sais qu'il y rangeait sa montre, ses bracelets en cuir et son alliance juste avant de se coucher. Je suis venue plusieurs fois quand ils dormaient et moi pas. J'ai inspecté leur sommeil et leurs tiroirs. Dans celui de maman des photos de papa, une tablette de chocolat au lait et sa boîte à médicaments. J'ai remarqué à plusieurs reprises que papa ronflait la bouche ouverte et qu'il changeait souvent de position dans son sommeil. Parfois il laissait choir un bras ou une main sur maman, toujours immobile, comme morte. Mais en m'approchant d'elle, je voyais sa poitrine se soulever légèrement et je quittais la chambre, rassurée. Je n'ai jamais parlé de mes problèmes de sommeil à grand-mère ou à qui que ce soit. Encore moins au docteur Géraud qui m'aurait donné ces somnifères que prennent parfois maman ou grand-mère. De petites pilules blanches qui les gardaient au lit jusqu'à midi et leur procuraient de fortes migraines. Rose détestait les prendre. Elle disait que ses rêves ne berçaient plus ses nuits. Quand elle a perdu tous ses cheveux et qu'ils se ramassaient par poignées sur son oreiller, elle avalait chaque soir une petite pilule blanche, aussi grande qu'une virgule. Grand-mère lui a offert des foulards magnifiques qu'elle gardait aussi la nuit. On aurait dit Agatha la fleuriste, ou une gitane, comme on voit parfois quand le cirque s'installe sur l'Île. Mais cela fait bien longtemps que le cirque n'est pas revenu. Et maman s'est habituée à ses cheveux courts qu'elle porte maintenant sans foulard. Elle ne se parfume plus. Le petit flacon noir gît au fond de la poubelle en osier, et Prudence ne l'a jamais jeté.

Olivia

La dernière fois que j'ai rendu visite à Luc, c'était le jour de sa mort. Je voulais qu'il vienne à Glass, après tout ce que nous avions enduré. Je n'osais pas lui parler de Rose. Je n'aurais pas su trouver les mots. Il était resté si distant en apprenant la mort d'Aristide. Un voisin tout juste salué, un vieillard auquel il n'aurait pas prêté attention. Au fond, nous le craignions tous deux pour des raisons à la fois différentes et semblables. Pareil à notre chère église dressée comme un phare au sommet de l'Île, Aristide avait été un père lointain sans le moindre faisceau pour éclairer son chemin. Il le voulait architecte ou rien. Pour ma part, c'était la fin de longues années de lutte, j'étais enfin libérée de son emprise et de mon attachement. Quand Prudence m'a annoncé sa mort dans le canapé du petit salon, j'ai eu un choc énorme. Je me suis précipitée pour le constater moi-même. On aurait dit qu'il se reposait, tenant encore la tasse de thé à la main, posée sur son genou. Mais sa bouche était grande ouverte et aucun souffle n'en sortait. Je ne sais pas pourquoi j'ai pensé aux mouches à ce moment-là, elles tournent sur elles-mêmes souvent l'été, et j'ai refermé son bec pour qu'elles n'entrent pas. Un poids soudain m'a délivrée, plus lourd que les cloches de notre église, et je n'en ai parlé à aucune âme. Prudence a appelé Géraud qui a déclaré une crise cardiaque et signé l'acte de décès. Je n'avais pas une fois envisagé qu'Aristide partirait avant moi. Il me restait encore de longues années à vivre sans ne plus jamais avoir peur de le voir surgir dans une pièce de Glass. Depuis qu'il habitait le Continent, Luc était beaucoup plus calme, et, quels que soient les liens avec son père, ils s'étaient distendus d'eux-mêmes. Luc ne serait jamais architecte et je doutais même qu'il découvre un jour sa voie. Seule Rose aurait pu en décider autrement, mais la maladie avait tout bouleversé, et maintenant plus rien ne comptait. J'essayais de le protéger comme je pouvais. Ce n'était pas un assassin après tout, et je n'avais pas été la meilleure mère qui soit. J'ai repris le ferry avec Luc et un sac dans lequel il avait jeté quelques affaires. Je n'ai jamais su ce qu'il avait fait du contenu de la mallette. Je suppose qu'il l'a dépensé sans songer à nous quitter, finalement. J'ai vu le ciel s'obscurcir pendant la traversée et j'ai compris que nous devrions nous dépêcher une fois sur l'Île pour rejoindre la maison. L'orage a éclaté alors que nous traversions les bois. Une pluie si forte que s'abriter sous les feuillages ne servait à rien. Nous étions trempés jusqu'aux os. Prudence nous attendait à la porte avec de grandes serviettes. Le sac de Luc ayant pris l'eau, je lui ai passé des vêtements d'Aristide choisis au hasard. Il flottait dedans. Je me suis souvenue d'une soirée où Aristide les avait portés, une nuit étoilée à San Diego, quand j'aimais encore m'appuyer à son bras. Tout cela était bien fini, je devais donner tous ces habits à Côme qui saurait leur trouver de nouveaux propriétaires. Nous avons disparu dans nos chambres le temps de nous changer. Nous avons dîné ce soir-là pour la dernière fois tous ensemble, Luc, Marnie, et moi. L'électricité a sauté au dessert, ne laissant sur cette table que les bougies éclairant les restes du dîner et nos faces lugubres.

Marnie

Après l'orage, je retourne voir Agatha, avec les sous de grand-mère en poche, et Prudence sur mes talons. J'ai pour mission de refleurir le jardin et la maison. La brouette sera lourde au retour. J'aurais préféré être avec Jane, mais elle révise dans sa chambre et Prudence ne m'a pas laissée entrer. Autant Jane est blonde et rayonnante, autant sa mère ressemble à un corbeau. Elle en a la couleur et le nez. Ses lèvres sont dessinées d'un trait de rouge à lèvres, ses joues donnent l'impression d'avoir été trop maquillées, mais c'est juste le bon air de l'Île qui leur donne cette couleur rougeâtre. Prudence me regarde rarement en face. Ses yeux fixent son tablier ou ses souliers toujours recouverts de poussière. D'ailleurs, Prudence croasse plus qu'elle ne parle. Elle me donne des ordres auxquels j'obéis rarement. Je sais combien elle s'est attachée à ma grand-mère et à Rose, aussi je lui pardonne d'être aussi dure avec moi. Je ne ressens rien pour Prudence. Je la connais depuis ma naissance, mais elle ne m'inspire ni pitié, ni compassion. Je me dis que si aucun homme ne lui tourne autour, c'est parce que sa laideur les repousse. Elle cuisine très bien, s'occupe de notre maison comme si c'était la sienne. Comment a-t-elle pu avoir une fille comme Jane ? On n'en parle pas dans la famille. Je parie pour un homme du Continent ou un touriste égaré qui l'a poussée dans une grange et lui a réglé son compte. Je sais toutes ces choses-là. Je ne suis pas une de ces gourdes qui vend des confitures à l'épicerie et s'imagine portée au monde par une cigogne. Tout ça c'est à cause de mes insomnies. J'ai vu des choses. J'ai cru bêtement que maman inspectait les fissures sur les murs et pensait que le plafond avait bien besoin d'un coup de peinture. Elle était assise sur papa, nue, sa tête renversée en arrière, ses yeux fermés. Heureusement, sinon elle m'aurait vue. Je suis sortie de la chambre, perplexe. Une autre fois, elle était assise sur la commode et papa la tenait par les hanches. C'était si évident que j'ai rayé sur-le-champ les cigognes et les roses. À l'école, j'ai voulu en avoir le cœur net. J'ai interrogé le professeur, madame Belgrade, qui, trop heureuse de m'apprendre quelque chose, m'a fait un cours dont je ne suis pas encore remise. Je comprends mieux pourquoi les hommes ne sont pas les bienvenus sur cette Île. Je laisse la brouette à Prudence. Avec sa cape et son capuchon, elle ressemble au petit chaperon noir. Je me demande ce qu'elle sait des hommes. Agatha nous attend, un beau sourire figé sur ses lèvres. C'est un joli endroit, à l'abri du vent, un chemin que prennent forcément tous ceux qui descendent du ferry et les touristes qui ont entendu parler de notre maison. La fleuriste porte un foulard imprimé qu'elle a noué sous ses cheveux et un long tablier bleu marine où s'alignent les lettres de son prénom. Prudence lui achète tous ses hortensias, des bottes de tulipes jaunes et blanches, des fleurs en pots ravissantes, comme des papillons engourdis, et fournies en feuillage. Je choisis une botte de roses orangées comme les aime maman et des tournesols pour toute la maison. Je sors le porte-monnaie de ma poche et donne fièrement les billets à Agatha. Prudence me regarde à la dérobée, comme si j'allais en rouler un dans ma poche. Je suis bien trop maligne pour ça. Quand je le fais, je suis seule.

Marnie

À hauteur du bois, on tombe sur Vincy qui sortait de l'école. Il se propose de porter la brouette jusqu'à la maison.

— Vous êtes bien aimable, monsieur, dit Prudence en lui cédant sa place.

Je me dis que si Vincy est gentil tout plein, c'est à cause de moi. Ce n'est pas en portant une brouette qu'il va m'impressionner. De temps en temps, il me jette un coup d'œil et m'offre ce qu'il a de plus beau, son sourire. Cela n'a pas échappé à Prudence qui l'interroge comme un policier.

— Ah, vous êtes le fils du pharmacien, un homme si agréable, dit-elle, rassurée.

Je sais que tous les médicaments de notre maison viennent de la boutique de son père. Tous les somnifères, et ces nombreuses boîtes cachées dans la table de nuit de maman. Je sais aussi par Jane que sa femme est partie avec le boulanger. Pour retourner à la maison, le chemin est raide. Vincy ne faiblit pas. Ses poings blanchissent, la sueur coule le long de sa nuque. J'y passerais bien ma main. Devant la maison, Prudence emporte les fleurs et me laisse avec Vincy qui a rangé ses doigts dans sa poche.

Pour éviter de me toucher ? Il danse d'un pied sur l'autre et me dit que la maison est vraiment belle. Je ne sais pas pourquoi mais je n'ai pas envie de le laisser entrer. Une autre fois peut-être.

— Je suis content de te voir, me dit-il avec son sourire de chanteur.

Moi aussi, mais ce n'est jamais le moment avec lui. J'ai des roses qui m'attendent à la cuisine et que je dois préparer pour maman. Il me propose de s'asseoir un moment à l'ombre de cet arbre. Prudence revient avec deux verres de limonade.

— Tenez, les enfants.

Je ne suis plus une enfant. N'empêche que c'est une bonne idée, ce verre de limonade. Je remercie Prudence et l'avale d'un trait. Vincy s'est calé contre le tronc, il a étendu ses jambes sur la mousse qui recouvre les racines. Il me regarde, moi et la maison.

— Combien de pièces ? demande-t-il.

— Je ne sais pas, je ne les ai jamais comptées, je réponds.

C'est vrai, je n'en ai pas la moindre idée.

— Je dois y aller, Vincy, j'ai des choses à faire.

Je me lève et le fixe un instant. Il n'a encore rien dit. Il me sourit gentiment

— Je comprends.

J'aurais aimé qu'il dise le contraire, cela me donnerait une bonne raison de lui en vouloir. Mais il se comporte bien et j'en suis toute retournée. Je sais qu'on a toute la vie pour ça, mais si je continue à le tenir éloigné, il va s'intéresser à une autre fille, une de ces poules au village qui ira droit au four. Je n'avais jamais embrassé un garçon avant lui. La prochaine fois, je dois m'assurer que c'est toujours aussi bien. Ce n'est pas ma faute si je change toujours d'avis. Je ne sais pas trop ce que je veux. Je devrais en parler avec Jane. Ou avec grand-mère qui a toujours le sens pratique. Pas sûr que ça lui plaise. J'arrange les roses dans le vase, ajoute un tournesol et les monte dans la chambre de maman. Je sais bien que Géraud a interdit les fleurs, mais il ne vient pas avant la semaine prochaine pour sa piqûre. D'ici là, je les aurai jetées, et le docteur n'en saura rien. J'aimerais être là quand maman va ouvrir les yeux et découvrir son bouquet, mais j'ai vraiment des tas de trucs en tête et je n'ai pas le temps de rester. Je file à la cuisine, farfouille dans le réfrigérateur et attrape une cuisse de poulet. Je me dépêche de filer, si Prudence s'en rend compte, ça va barder, et ce ne sera pas la première fois.

Vincy

Je suis amoureux. Sans blague, pour de vrai. Toutes les autres filles sont aussi fades qu'un poulet sans mayonnaise. Elles se trémoussent à la sortie de l'école, me questionnent pour des tas de trucs sans importance, si je suis bon en maths – comme si les chiffres m'intéressaient –, ou si je veux me promener dans les bois, mais qu'est-ce que j'irais faire là-bas avec des filles pareilles, sinon les perdre ? Mes potes sont un peu jaloux, ils disent que les filles me prennent pour un pot de Nutella. Je n'y peux rien si j'ai les yeux bleus et si je me fais siffler par ces grues. Et mon sourire, ce n'est pas exprès, il vient tout seul, je sais qu'il plaît aussi. Je le vois aux filles qui se tortillent les nattes et se chuchotent à l'oreille des tas de trucs que je ne veux pas entendre. Même la prof, madame Belgrade, me regarde sous ses lunettes comme un quatre-heures qu'elle avalerait bien sans attendre. Mais moi je n'ai rien à voir avec tout ça. Si je ne suis pas amoureux, ça ne marche pas. Et mon cœur bat pour la première fois et ça me rend dingue. Marnie ne le sait pas encore. Faut dire que ce n'est pas une de ces filles de l'école qui dit oui à tout. Ce serait même le contraire. Je ne sais pas trop comment gérer tout ça. Plus elle me dit non, plus ça me rend amoureux. Elle ne ressemble à aucune autre fille de l'Île. C'est la seule rousse que je fréquente. Elle habite dans une immense maison dont elle ne connaît pas le nombre de pièces. Si mes copains savaient ça, ils seraient verts. À côté, le Nutella aurait un goût de flotte. En plus, Marnie, ce n'est pas le genre de fille qu'il faut brusquer. Elle est capable de tout. J'ose même pas imaginer ce qui peut être pire qu'un compas dans le ventre. Je dois y aller tout doux, un rien l'énerve. Et surtout rien dire à mon père qui ne comprend pas les femmes et m'a interdit de la revoir. J'ai bien vu que Marnie s'était acheté des fleurs rien que pour elle, des tournesols. Je vais chouraver des billets dans la caisse du paternel et lui en offrir une dizaine. Et lui arracher un sourire à me rendre fou le reste de mes jours. Je fumerais bien une clope, tiens. Par la fenêtre, ni vu, ni connu, ça s'envole dehors. Je tire une taffe, je suis super excité, je pense à cette chipie qui me dit non tout le temps. Et quand elle me dira oui, je perdrai tous mes moyens, je ne vais pas assurer, je serai incapable d'ouvrir mon clapet. Je ne pouvais pas agir avec la dame en noir qui me surveillait de l'œil comme si j'étais un voyou. J'ai bien assuré avec cette breloque qui pesait une tonne. Ce n'est pas une limonade qu'il me fallait mais un sourire de Marnie. Rien. Même pas un début. Ou alors sa bouche comme une fraise hors saison. Croquer le fruit, en sachant qu'il n'y en a qu'un seul sur toute l'Île et qu'il est pour moi. Sous l'arbre centenaire et son lit de mousse, la tête de Marnie sur mes jambes, et moi lui caressant ses cheveux roux tandis qu'elle me fixe de son regard de diablesse. Je m'imagine de ces trucs. Je crois qu'il est temps que je m'occupe vraiment d'elle ou ça va mal finir. Marnie s'imprime en moi comme un poster collé sur le mur de ma chambre. Je frissonne en pensant à elle, chaque partie de moi est dingue de cette fille. Elle me dirait de la suivre en Australie, je trouverais ça normal. C'est dire si je suis mal barré.

Olivia

Luc a rencontré Rose dans la vitrine d'une boutique de luxe. Il flânait le long du trottoir et s'est arrêté net. Rose, le galbe de ses jambes enserrées dans des bas, habillait deux mannequins avec l'attention d'une mère. Elle tirait sur la glissière d'une fermeture Éclair quand ses yeux se sont posés sur lui. La main suspendue, le chignon relevé comme une pièce montée, Rose est restée aussi figée que ses modèles. Luc a souri avec sa barbe d'une semaine, ses yeux verts et sa chemise ouverte au troisième bouton. Il s'est avancé face à la vitrine, a passé la main dans ses cheveux bruns, faisant filer ses mèches entre ses doigts. Il a levé sa main, comme s'ils étaient de vieux amis, et il n'a plus bougé en attendant un retour de sa part. Rose a remonté la fermeture Éclair jusqu'aux omoplates du mannequin et l'a coiffé d'un chapeau à large bord légèrement incliné sur la gauche. Puis elle a regardé son unique client guettant son approbation, tout en habillant les mains et les avant-bras d'une paire de gants blancs. L'orage a obligé Luc à s'abriter dans le magasin, aussi soudain que la rencontre. Une pluie au cordeau s'est abattue sur le Continent ce jour-là, faisant disparaître aussitôt les passants, la rue et la boutique de luxe. Rose a quitté le podium de vitrine, récupérant ses escarpins qu'elle a aussitôt chaussés élégamment, levant à peine sa jambe en arrière. Elle a proposé à Luc un verre d'eau ou un café pour patienter. Elle se parfumait déjà avec cette fragrance de Robert Piguet qui rappelle l'encens des églises. La pluie tombait avec une rare violence. Le personnel s'était aggluriné derrière la porte vitrée pour voir ce spectacle, sursautant au tonnerre qui résonnait comme un tambour, fixant toute cette eau qui dévalait la rue en pente, emplissait les caniveaux, charriant des mégots, des branches d'arbres, des cartons éventrés et des papiers gras. Nul n'avait songé à prendre un parapluie ce matin-là sous un soleil pareil. Pourtant le Continent tout comme l'Île était si imprévisible, on ne s'y habituait jamais. Luc et Rose se sont éloignés de la vitrine et des employés. Ils ont fait connaissance sur un canapé, habituellement destiné aux clientes. Ils ont bu un café et se sont promis de se revoir. Rose revenait d'un long séjour aux États-Unis, où elle avait enterré ses parents, elle s'habituait à peine à son statut d'orpheline. Fille unique, ses grands-parents étaient décédés avant sa naissance au cours d'un naufrage, au large du cap Cod. Américaine par sa mère et française par son père, elle avait échoué sur le Continent grâce à sa mère qui connaissait la propriétaire de cette boutique, une Américaine excentrique restée à Boston. Elle envoyait des mails la nuit, choisissant tout ce qui se vendrait dans ce magasin sans jamais y avoir mis les pieds. Rose habitait juste au-dessus, un petit appartement de deux pièces qui lui convenait parfaitement, relié à la boutique par un escalier en colimaçon que je ne me serais jamais risquée à prendre, même pour le meilleur thé de Chine. Elle était la directrice intérimaire et prenait à cœur d'accueillir une clientèle aussi changeante que le temps et exigeante, ne serait-ce qu'à cause des prix élevés pratiqués sur ces vêtements de luxe fabriqués à Boston et expédiés en container par bateau. Une clientèle de touristes chic et de vieilles familles du Continent, des femmes élégantes qui aimaient cette mode surannée des années soixante.

De toute façon le temps n'a jamais eu de prise sur le Continent. J'ai moi-même acheté plusieurs robes et paires de chaussures, des pulls en cachemire, des chemisiers en soie, tous rangés dans une de mes armoires. Je n'ai jamais été servie par Rose, toujours droite derrière sa caisse, une main posée à plat sur son collier de perles blanches. Mais je n'ai pas oublié les effluves sacrés de son parfum qui imprégnaient toute sa boutique. Je n'aurais jamais imaginé l'avoir un jour comme belle-fille et je n'ai guère prêté attention à elle jusqu'à ce que Luc nous la présente, avec l'intuition de l'avoir déjà vue quelque part, mais où ? Rose, si discrète, amoureuse de Luc comme un coup de foudre avant l'orage. Elle aurait dû se méfier davantage. Les hommes en notre demeure ne valent pas grand-chose. Ils ont beau sourire et dégrafer leur chemise jusqu'au troisième bouton, leurs baisers sont mortels. Et nous, leurs épouses, aurions dû fuir leur charme comme le pire des supplices. Mais je ne me suis jamais lassée d'entendre Rose me répéter comment elle avait connu Luc. Elle rajoutait toujours un détail que sa mémoire fatiguée venait de retrouver.

Côme les a mariés peu de temps après. Rose portait une robe sublime, dont le bustier délicatement brodé de dentelle découvrait ses épaules nues et s'achevait sur une longue traîne piquetée de roses orangées. Nous avions invité les grands noms de l'Île, parmi lesquels les Delaunay, les Passerot, les Trincier, les Orégon qui appréciaient de revenir à Glass après de longues années sans fêtes. Prudence s'était surpassée pour l'organisation du mariage, aidée par les commerçants de l'Île et la fleuriste. Aristide me prenait par la taille comme autrefois et, ce jour-là, j'oubliai combien je le haïssais tandis que nous valsions au son d'un orchestre du Continent. Luc rasé de près avait retiré sa veste de costume beige, dénoué sa cravate et son gilet pour danser avec Rose au cœur du bal. Et tandis que nous tournions et que le champagne accentuait l'ivresse des tours de piste, je rêvais encore d'une vie meilleure au bras d'un homme que j'aurais mieux fait d'ignorer sous le parasol de Zanzibar. Les coups revenant brutalement à ma mémoire comme un butoir, mon cœur s'affolant au rythme des graves qui frappaient mes tempes, j'achevai la danse bien avant son terme, laissant Aristide au milieu de la piste, sous les regards étonnés des Orégon. J'ai prétexté un étourdissement à ma belle-fille qui s'inquiétait, j'ai rassuré mon fils afin qu'il n'affronte pas son père et j'ai regardé tout autour de moi cet incroyable gâchis qu'était devenue ma vie avec Aristide. Tandis que mon mari avait rejoint sa chambre, j'ai accepté le bras de Rose comme la branche qui vous empêche de sombrer, et je l'ai présentée aux grandes familles de l'Île, mesurant combien son bonheur pouvait tout changer à Glass et peut-être me rendre heureuse à mon tour, comme avant que je ne fréquente Aristide, quand tout me paraissait enchanteur. Je ne vis plus Aristide jusqu'au lendemain où il se vengea de l'affront que je lui avais fait subir. Ce ne fut pas une surprise, je m'enfonçais sous l'eau de ma piscine à en perdre le souffle.

Marnie

Je n'ai pas envie de voir Jane aujourd'hui. Je suis passée devant la chambre de maman comme si c'était une pièce comme les autres. J'en ai assez de la voir couchée ou assise. Je la veux debout sur ses pieds, qu'elle glisse sur la rampe, danse dans le salon, roule dans l'herbe avec moi jusqu'au bord de la falaise et qu'on s'arrête juste à temps, essoufflées, mais heureuses d'être vivantes. À quoi bon cette maison de verre et d'acier comme une tombe à ciel ouvert ? La mort est tout autour de moi et je suis la seule sur cette Île à vivre comme si rien n'était arrivé. J'ai perdu mon père et mon grand-père. Si je perds maman, je deviens folle. J'y pense tous les matins quand je me réveille. J'ai peur de la cueillir les yeux grands ouverts comme ces poupées atroces en porcelaine qu'on offre aux petites filles sages. Ce que je ne suis pas, heureusement. Et si grand-mère dégringolait dans les escaliers ? Ce genre de chose peut se produire. On n'y est jamais assez préparé. Je n'ai pas envie de vivre chez Prudence. La maison est trop petite. En y entrant, on sait immédiatement combien il y a de pièces. Pas assez pour danser. À Glass, Prudence suivait grand-père d'une pièce à l'autre comme le chien son maître. Jane m'a dit qu'ils se sont connus en Afrique quand grand-père y construisait des maisons différentes de la nôtre. On n'en parle jamais. Ni grand-mère, ni le chaperon noir. Parfois Prudence s'interrompt dans son travail, un torchon à la main, les yeux ailleurs dans un pays dont j'ignore tout, un lieu où le temps n'a aucune importance, où personne ne meurt, où elle peut enfin sourire, sa vie loin de nous. Elle aime pourtant Olivia. Elle la regarde comme un tableau vivant dont elle aurait nettoyé tous les bords avec soin. Et grand-mère sait que Prudence sera toujours là. Je les ai même surprises à boire un verre ensemble comme deux amies qu'elles ne seront jamais. Grand-mère l'a connue si jeune, sans Jane, en Afrique, dans une poussière ocre que soulevaient leurs pas. Prudence, comme un souvenir de voyage qui lui rappelle ces années dont elle ne parle jamais mais que je sais heureuses. Combien de fois suis-je entrée dans une pièce où les conversations cessaient. À quatorze ans la vie est loin d'être facile, on ne doit rien savoir, rien qui entaille ce fragile tissu qui nous sépare du monde adulte. Alors j'ai appris à entrer dans une pièce sans bruit, les chaussures à la main, marchant sur la pointe des pieds, avec cette envie de tout entendre, de tout comprendre. Je n'aurais pas dû. J'ai quatorze ans, j'ai cent ans. Peu importe. Je sais des choses. J'ai vécu avec ces mots-poisons qui m'ont rongée à l'intérieur. J'ai grandi trop vite comme une herbe folle qui court le long des arbres jusqu'au sommet. Mais ce n'est pas encore assez haut, j'ai besoin du ciel et même au-delà.

Géraud

Je me demande parfois qui étaient mes parents. Je n'ai aucun souvenir de l'orphelinat. Des murs hauts, des cris d'enfants, les voix des religieuses qui nous rappellent à l'ordre. C'est tout. J'ai été adopté à quatre ans par un médecin qui m'a fait aimer son métier et m'a appelé Géraud Delorme. Je ne sais rien de mon nom d'avant. Je n'ai pas beaucoup d'imagination, je me suis dit que mes parents étaient certainement trop pauvres pour me garder. Ézéchiel, mon père adoptif, était un ogre merveilleux. Je ne lui ai jamais connu de femme, ni d'ami. J'étais tout pour lui. Enfant, il me portait sur son dos à travers les chemins de l'Île ou sur la frise des falaises. Nous allions de patient en patient. Certains demeuraient allongés sur leur lit, d'autres nous ouvraient leur porte. Des fièvres, des angines, des toux grasses, la varicelle, les oreillons, la scarlatine, l'eczéma, des lumbagos, la grippe, la rubéole, des bleus, des diarrhées, des intoxications, des rhumatismes, des pneumonies. Des cancers, des infarctus, des blessures graves et infectées. Attaché aux épaules de mon père, je suivais ses mains expertes qui se posaient sur la douleur comme s'il avait le don de guérir d'un simple toucher. Il se servait de toutes sortes d'instruments dont j'apprendrais les noms plus tard. Il auscultait, réfléchissait à voix haute, caressait parfois un visage. J'ai appris très vite que cette douceur-là accompagnait le malade vers une mort imminente. Dans sa sacoche qu'il emmenait partout avec lui, tout comme moi aujourd'hui, apparaissait une petite pharmacie à la disposition des malades facilement guérissables. Quand l'opération était longue et complexe, notamment pour les accouchements, Ézéchiel me détachait de son dos et me plaçait hors de sa vue. La famille veillait sur moi et me gavait de cochonneries. J'étais l'orphelin de l'Île, tous les habitants le savaient. Mais j'avais été adopté par celui qui détenait le pouvoir de vie ou de mort sur la plupart d'entre eux. On nous gardait toujours un repas que nous partagions après chaque visite, dès que mon père s'était lavé les mains et avait stérilisé tous ses instruments. Un festin en silence, où je regardais mon père, ce géant à la barbe épaisse et aux mains larges, le dos toujours voûté, ses vêtements souvent rustres et tachés, saucer son assiette qu'on aurait pu ranger aussitôt dans le placard. Quand à son tour il me fixait, je sentais son regard bleu entrer en moi avec une telle force que j'en tremblais. Je n'avais pas le droit, enfant, de parler de ce que je voyais ou ressentais à qui que ce soit. Ce regard-là me purgeait de tout ce que j'aurais pu garder en moi. Je n'ai jamais été impressionné par ce qu'Ézéchiel m'autorisait à voir. En dehors des bleus, étrangement. Je ne comprenais pas ce qui pouvait ainsi bleuir la peau. Je pensais à une infection jusqu'à ma première chute de vélo. Mais toutes ces femmes, tous ces enfants n'avaient pas forcément de bicyclette. Et surtout je ne voyais pas comment on pouvait se cogner contre une porte ou tomber dans les escaliers aussi facilement. Le bleu virait au vert, mon père m'ordonnait de passer dans la pièce d'à côté. Sa voix rauque baissait d'un ton, je savais qu'il détenait une réponse que j'aurais bien voulu entendre.

De toutes les maladies, même les plus mortelles, celle-ci s'est imposée comme la plus injuste. La violence est une maladie de l'âme, qu'elle soit sous l'emprise de l'alcool ou de la colère. Rien ne la soigne vraiment sauf peut-être la mort qu'on vient à souhaiter comme une délivrance.

Quand il m'a fallu soigner Olivia de Mortemer et qu'elle se débarrasse de ses vêtements, ce n'était pas ce corps semblable au mien qui m'a gêné. Cette peau blanche et flétrie n'avait rien d'effrayant. Sa poitrine était encore ferme, même si elle la cachait souvent derrière ses bras croisés. Toute l'horreur tenait entre les battoires d'Aristide qui avaient planté, sur tout le corps d'Olivia, un paysage de creux et de bosses qui parcourait ses poignets, ses avant-bras, ses épaules, son dos, ses cuisses, son ventre, et parfois ses seins. Une insulte à la nature qui me faisait trembler tandis que je rendais à ce corps si maltraité un peu de sa jeunesse. Je n'ai plus jamais adressé la parole à Aristide. De toute façon ce monstre disparaissait dès que j'entrais à Glass, suivi de Prudence.

Quand je suis retourné plus tard constater la mort d'Aristide, j'ai vu dans le regard d'Olivia combien cette mort la libérait de tout. Elle s'est laissée tomber dans son fauteuil habituel, oubliant toute convenance, presque affalée. Il me semble bien l'avoir vue sourire, mais je peux me tromper.

Olivia

Je suis vieille, les souvenirs sont si déformés par le temps qu'ils éclatent comme des bulles avant de disparaître. Certains, pourtant, sont si présents qu'ils auraient pu se dérouler ce matin même. Je ne sais pas pourquoi je les ai conservés à l'abri, comme une boîte de Pandore que j'ouvre parfois sans réfléchir. Les années africaines à Mombasa et Johannesburg tiennent une place chère à mon cœur, et quelques tableaux et statuettes se sont éparpillés dans cette maison de verre et d'acier. Seule Prudence s'en approche et tente de leur rendre leur apparat d'autrefois. L'humeur d'Aristide était déjà fluctuante à cette époque, même si sa colère se détournait de moi, pour mieux s'abattre sur les employés de sa compagnie qui ne travaillaient pas à sa mesure. J'entendais des éclats de voix étouffés derrière les portes qui me séparaient de la terrasse où je lisais, reprenant souvent le même paragraphe, distraite par la dureté du ton de sa voix, acceptant le thé de Prudence comme un soulagement qui tentait de me faire oublier le trouble que je ressentais. Prudence, silencieuse à son habitude, impassible, droite comme un baobab, attendant un geste ou un mot de ma part qui tardait. Sa présence me rassurait, j'en oubliais le livre et la voix d'Aristide qui venait à moi comme un serpent se glissant sous la porte. Je regardais le jardin exubérant débordant de couleurs, les arbres géants à palabre, comme ce camphrier autour duquel l'agence d'Aristide se réunissait les jours de pique-nique. J'oubliais Prudence en fermant légèrement les yeux pour me retrouver avec Aristide sur une plage de Mombasa, isolés dans un de ces hôtels luxueux que nous affectionnions, loin des vendeurs à la sauvette qui surgissaient dès que nous décidions d'aller nager. Je m'étais laissé entraîner un jour dans un de leurs cabanons dressés à même la plage, au milieu d'un artisanat de bois sombre. La chaleur étouffante, leur odeur, leurs mains noires posées sur mon bras m'avaient aussitôt troublée et je m'étais enfuie sans rien acheter. Aristide m'avait accueillie sur le transat avec un regard glacial, comme si je m'étais offerte dans ce cabanon à tous ces hommes, une distraction comme une autre sur cette île africaine. Et je veux bien croire que mon visage cramoisi et coupable assurait que j'en aurais été bien capable. Si j'avais pris la fuite, c'était pour ne pas succomber au désir. Je me suis allongée sur le transat, maîtrisant les battements de mon cœur jusqu'à ce qu'ils se calment, j'ai réclamé au serveur en gants blancs un Martini Dry, sachant que l'alcool m'aiderait a m'endormir sur ces mains noires et que tout cela n'appartiendrait qu'à moi seule. La maison enfin terminée, nous sommes rentrés sur l'Île. Les cabanons et les baobabs ont disparu aussitôt dans la boîte de Pandore. J'ai cru que la vie serait plus douce sur mon coin de paradis mais j'avais oublié les orages. Aristide n'ayant plus rien à construire, par un cheminement de pensée qui m'est inconnu, a déconstruit notre couple avec autant d'acharnement qu'il bâtissait jadis ces demeures de verre et d'acier. J'ai d'ailleurs souvent trompé Aristide par la pensée, troublée par d'autres mains compatissantes, comme ce charmant Géraud Delorme, en buvant un peu d'alcool avant de m'endormir. Il me suffisait de fermer les yeux pour que ces mains soient plus indécentes, qu'elles m'enserrent la taille ou m'agrippent le visage. Je renforçais le désir naissant d'une certaine brutalité dont je m'étonnais sur l'instant, mais que je répudiais au réveil. Quand Aristide levait le poing sur moi, je ne ressentais que la peur d'avoir mal. Je protégeais mon visage, lui offrant mon ventre, mes seins, mes jambes. Je savais la porte fermée à clé. Je laissais la foudre s'abattre sur moi sans réagir. La piscine et ses longueurs m'ont permis d'endurer la violence. Aristide n'avait pas la ténacité d'un sportif, il fatiguait de me voir impassible à ses coups. Je sortais la tête hors de l'eau pour prendre une respiration et me rendre compte que le dragon était terrassé. Il s'approchait des rideaux, laissant redescendre sa révolte, ses poings encore serrés, regardant par le verre, derrière le rideau soulevé, la nature indomptée de l'Île. Au sol, tandis que ses mains se déliaient, je me rassemblais sur moi-même pour ne pas crier. Je laissais mes coudes pendre le long de mes jambes endolories, j'attendais que le bourreau quitte cette maison et longe les falaises avant de me relever, certaine de ne pas avoir entendu un craquement de plancher, chancelante, chaque fois soulagée d'être encore vivante. J'appelais Côme et seulement lui. Je m'imaginais seule à Glass, enfin. Je me persuadais avec le temps que je méritais d'être punie pour tous ces hommes que j'appelais certains soirs avec un verre d'alcool. Je les oubliais aussitôt le matin, sans savoir ce qu'ils m'avaient fait pendant la nuit. Je n'y tenais absolument pas.

Marnie

Nous sommes allongés tous les trois, au bord de la falaise, la tête dans le vide. Jane dit que le sang lui grimpe au visage, Vincy que le vent souffle fort et que nous allons nous envoler comme des brindilles. Moi, je me tais. Je regarde l'Île, immense, avec ses champs jaunes, bruns et verts, ses maisons grosses comme un dé à coudre, ses routes pareilles à des lacets de baskets, ses humains semblables à des clous. La terre s'effrite, de la poussière de craie qui me chatouille la nuque. Le Continent est un trait qui serpente à l'horizon. J'aimerais bien y retourner avec Vincy, mais je me dis que toutes les femmes de papa vont mourir avant moi et qu'on est mieux ici. Bientôt je serai aussi vieille qu'Olivia et plus un humain ne vivra sur l'Île, à part Jane et moi. Vincy se sera envolé comme une brindille pour découvrir le monde. Moi, ça ne m'intéresse pas. Je n'ai jamais pris le train, ni même un avion. Je ne compte pas la Jaguar de papa qui ne roulait pas quand je suis montée dedans. Juste le ferry pour suivre des fantômes qui sont trop malins pour se laisser attraper. Pour l'avion, je n'ai qu'à demander à Géraud de monter avec lui et l'un de ses patients qui va mourir sur un lit d'hôpital du Continent. Ce n'est pas un avion, je sais, mais un hélicoptère qui vole tout pareil, plonge le long de la falaise comme s'il devait s'écraser sur les rochers, se relève au dernier moment pour survoler la mer et disparaître dans le soleil. Pas sûr que Géraud soit d'accord, mais j'aimerais essayer au moins une fois pour savoir ce que l'on ressent en sautant du haut de la falaise. Vincy a attrapé ma main comme les pales d'un hélico pour s'envoler avec moi dans l'immensité du ciel. J'aime cette chaleur contre moi, pour une fois je me laisse faire. J'ai aperçu son regard en biais comme s'il guettait mon approbation, mais j'observe mes champs et mes maisons comme si tout m'appartenait, et je ne peux pas détacher mes yeux de ce paysage si changeant, selon le vent, les orages ou le beau temps. Peut-être même que Vincy restera ici, avec Jane et moi, et qu'on habitera cette maison de verre et d'acier dont j'ignore le nombre exact de pièces. Faut-il compter celles du grenier ? Cet étage où personne ne va jamais à part Prudence qui entasse des cartons, des déguisements, des malles et des meubles dont grand-mère se débarrasse depuis la mort de grand-père ? Plus aucun homme à la maison pour hisser la commode et l'armoire, à part des costauds de l'Île qui sont venus aider en échange d'un petit verre à la cuisine. Rien à voir avec de la limonade. Ce n'est pas maman qui va donner un coup de main. C'est à peine si elle peut tenir l'éventail dont elle se sert quand il fait trop chaud dans sa chambre. J'ouvre grand les fenêtres, tout en laissant les rideaux tirés pour garder un peu de fraîcheur. Mais le vent de l'Île pénètre dans la chambre, en écartant la toile, un peu comme il soulève les jupes sur les chemins. Maman me supplie de refermer les fenêtres, elle préfère son éventail, un des rares objets qu'elle a gardé du temps de sa boutique sur le Continent. Grand-mère s'en empare parfois et le déplie, faisant apparaître des gitanes en robe rouge qui dansent en levant le bras, puis elle l'agite doucement et régulièrement près du visage de Rose, tout en épongeant son front avec un linge humide. Maman n'est plus qu'un amas de feuilles sèches, prête à s'envoler dès que le vent se décidera. Je serre la main de Vincy aussi fort que je peux, il n'est pas question qu'il parte de l'Île. Jane nous abandonne, des devoirs à finir, sinon Prudence ne la laissera plus jamais se promener comme bon lui semble. Je n'ai pas besoin de tenir la main de Jane pour savoir que nous vieillirons ensemble. Je lâche celle de Vincy, je me redresse comme un lézard, à quatre pattes. Je roule dans l'herbe, je sens les pointes des petits cailloux me griffer les jambes, la terre adoucir mes roulades, le vent qui me pousse vers le chemin. Vincy m'a suivie en courant, il atterrit sur moi, je l'entraîne en le serrant fort contre moi. On s'arrête soudain, les falaises loin derrière nous. Je me laisse embrasser, je mords un peu sa langue, je goûte sa bouche comme à un fruit trop mûr. Je me dis qu'il restera peut-être sur l'Île avec moi à cause de ça, ce baiser volé comme un péché, la première fois que je m'abandonne sans aucune méfiance à ce garçon qui tremble sur moi comme s'il avait froid.

Agatha

Rose me manque. Jamais je n'aurais dû m'attacher à cette inconnue qui le serait restée. Les sentiments sont des lierres qui grimpent aux arbres pour mieux cacher l'écorce. Je suis réservée et sauvageonne, parce que je suis faible. Je ne réfléchis pas assez. En amitié, aussi, on peut tomber amoureuse. Je l'ai appris à mes dépens. Je me rappelle notre rencontre à l'embarcadère, la taverne pour nous sécher de l'orage sous des torchons, nos rires qui faisaient se retourner les habitants de l'Île aux tables voisines. Je tente d'oublier tout le reste, les longues conversations dans le canapé face à la cheminée, Rose pieds nus, calée contre les coussins, me racontant combien il était difficile de grandir entre deux parents qui ne s'aimaient plus. Ils ne se disputaient pas ; ils vivaient sous le même toit à cause de Rose et s'en accommodaient en silence. Ils avaient attendu qu'elle soit majeure avant de se séparer, mais aucun d'entre eux ne s'était remis en couple. Vingt ans de mariage, de petites habitudes et de petits arrangements leur avaient ôté à tous deux l'envie d'un nouveau départ. Son père réalisait des maquettes de bateau pour l'industrie navale, sa mère dessinait des accessoires pour une marque de luxe. Mariés, ils passaient leurs journées dans leurs ateliers, et leurs soirées devant la télévision. Le divorce n'a rien changé ou presque. La mère de Rose conserva l'appartement et agrandit son atelier, le père loua un deux pièces dans un quartier résidentiel et construisit dorénavant ses maquettes sur la table de cuisine où il ne prenait jamais ses repas. Il préférait les bistrots et leur anonymat. Rose s'était promis d'attendre le temps nécessaire pour rencontrer l'homme de sa vie. Elle assistait depuis trop longtemps au désamour pour ne pas vouloir à tout prix réussir son mariage. Sa mère le lui avait vivement déconseillé. Elle disait la vie trop courte et les tentations si nombreuses. Elle regrettait Boston où elle ne retournerait plus depuis le décès accidentel de ses parents au large du cap Cod. Elle se sentait plus américaine que française, trop de rives sans pont la séparaient de son père. À leur rencontre, au cap Cod, elle avait adoré son accent charmant le temps d'un whisky. Elle s'était retrouvée enceinte à la suite d'une soirée trop arrosée et mariée sans s'y être préparée. Cela faisait longtemps qu'elle avait dessoûlé depuis. Ils n'avaient pas assez de goûts en commun pour résister aux années. Son père s'était presque opposé à ce que Rose se marie un jour. Elle devait profiter de sa solitude et faire tout ce qui lui passait par la tête. Le mariage n'était qu'un contrat et rien d'autre. Rose les avait écoutés sans ressentir d'appétit à leurs mots amers et égoïstes. Ce qu'ils avaient raté, elle le réussirait. Divorcés, il leur arrivait parfois de déjeuner ensemble et de confronter leur solitude. Ils en avaient pris l'habitude, et au moins aucun des deux ne s'en plaignait. C'est en se séparant devant le restaurant qu'une enseigne leur est tombée dessus du dernier étage. Une publicité pour un parfum qui, à défaut de leur donner l'envie, leur a ôté tout odorat. Rose devenue orpheline vendit l'appartement de sa mère et s'en alla rejoindre le Continent et la luxueuse boutique d'une vieille amie de sa mère qui lui confirma par mail son engagement.

Rose me raccompagnait en fin de journée, une fois mes fleurs vendues. Je lui en gardais toujours quelques-unes, les roses orangées et les tulipes blanches, ses préférées. Nous remontions jusqu'à ma maison, une petite ferme en briques rouges, où j'allais chercher une bonne bouteille de vin. Rose avait besoin de s'enivrer avant de se confier. Le chat sans nom l'aimait bien. Il se lovait sous ses jambes relevées, et s'endormait aussitôt dans le canapé. Nos histoires d'adultes ne l'intéressaient pas du tout.

Elle tomba amoureuse de Luc au premier regard. Elle ne savait rien de lui, mais tout en elle avait décidé à sa place. Nous finissions une première bouteille, quand elle m'annonça combien Luc l'avait révélée au lit, une furie capable de mordre et de griffer tout en se donnant tout entière sans la moindre retenue. Rose jurait comme un charretier en faisant l'amour. Luc l'aima dans le moindre recoin de son appartement, à commencer par l'escalier pentu en colimaçon, jusqu'au lit en champ de bataille. Elle avait beau se parfumer avec ce petit flacon noir, elle sentait Luc de la tête aux pieds. Ce bel amant lui suçait les doigts de pied, un par un, tout en la regardant, puis il s'emparait de ses mains, de ses mamelons ; chaque centimètre carré de son corps était étudié, palpé, caressé, empoigné, léché, pressé, contenu dans ses mains expertes et sa bouche jamais satisfaite. Rose découvrait un domaine dont elle ignorait presque tout et qui bientôt dépassa les espérances de son professeur. Au matin d'une nuit sans sommeil, épuisée mais heureuse, le corps en sueur de s'être tant débattue, Rose demanda à Luc d'être son mari. Le « oui » de son amant la délivra de ses inquiétudes : elle s'endormit aussitôt, ses jambes entremêlées aux siennes. Luc la présenta à sa famille. Elle fut impressionnée par la maison de glace et d'acier, comme l'Île entière, mais encore plus par Olivia. Elle l'appelait la gardienne de l'Île. Sa souffrance défiait en permanence sa maintenance. Elle se tenait droite en toutes circonstances, même assise ; son regard vous fixait avec insistance avant de vous abandonner, presque à regret, comme si vous pouviez lire en elle ce que les mots taisaient. Dès les premières disparations de Luc, Rose se rapprocha d'Olivia. Au début, c'était surtout pour parler de lui, en apprendre davantage. Elle espérait même des conseils pour mieux le garder auprès d'elle. Olivia lui confia que Luc, comme n'importe quel oiseau marin de cette Île, ne supportait pas les cages et qu'il fallait le laisser libre pour qu'il revienne de temps à autre. L'amour était un long chemin bordé de ronces, de ponts endommagés, de virages trompeurs qu'il fallait parfois éviter, souvent affronter toute une vie. Rien n'avait de sens, encore moins l'amour. Ce n'est qu'après l'inondation, lorsque Olivia pria Rose de s'installer à Glass, que les liens entre les deux femmes se nouèrent plus fortement que la toile tissée par la plus ingénieuse des araignées.

Olivia

Marnie va hériter de cette maison et de toute ma fortune. J'ai demandé à Prudence de veiller sur la petite quand je disparaîtrai à mon tour. J'ai d'ailleurs déposé un testament chez mon notaire dans ce sens. Prudence sera à l'abri pour le restant de ses jours, à condition qu'elle reste au service de Marnie et qu'elle l'élève comme sa fille. Elles ne s'apprécient guère l'une l'autre. Un peu comme chien et chat. Prudence est trop sèche parfois. Mais je la sais capable d'efforts et de dévouement. Marnie s'y fera avec le temps. Ne parlons pas de l'intuition féminine qui m'a totalement échappé. J'ai épousé un homme violent et mis au monde un fils qui n'a pas su grandir en épousant la seule femme qu'il ait vraiment aimée. J'attendais beaucoup de ce mariage. J'espérais que Luc devenu père par la force des choses habite cette maison, à défaut de travailler. Mais j'avais sous-estimé son incapacité face à l'adversité. Luc n'a jamais cessé de rechercher ailleurs ce qu'il avait à demeure. Je reste certaine que le cancer de Rose était une ultime tentative pour le retenir, et Luc n'a rien voulu entendre. Tout a commencé après la destruction de la boutique de Rose au cours d'un orage particulièrement violent. Luc a disparu plusieurs nuits sur le Continent, comme si tout cela pouvait se régler sans lui. J'ai veillé sur Rose comme je l'aurais fait avec ma propre fille. J'ai maudit un peu plus mon mari qui prétendait qu'il ne s'agissait que d'une affaire de femmes. Prudence à son habitude n'était jamais loin si nous avions besoin d'elle. Rose découvrait le vide absolu de son existence sans Luc. Il lui restait une étincelle, Marnie, qu'elle se promettait d'élever loin d'ici. Je ne sais comment, mais j'ai trouvé les mots pour la convaincre de rester. Moi aussi, j'avais besoin de Marnie pour donner un sens à ma vie. Et Luc a mené sa vie loin de Glass, sans être père, ni mari. Nous avons eu, bien sûr, plusieurs conversations. Mais il me regardait avec ce sourire stupide, sans que rien ne semble l'atteindre. Rose était sur ses gardes, le voir ne faisait qu'aggraver le souvenir de l'homme charmant qui s'était arrêté devant la vitrine de sa boutique. Devenue mère, elle se protégea de Luc, comme on se retient de sauter dans le vide. Elle savait son inconstance. Elle se rapprocha davantage de moi. Nous ne parlions plus de lui, nous apprenions à mieux nous connaître. Sans hommes nous étions plus fortes, unies par ces longues promenades que nous faisions ensemble. J'étais incapable de lui raconter mon passé, emmurée par la brutalité d'Aristide que je souhaitais enterrer sous mes pas. J'évoquais mon enfance sur le terreau de cette Île. Adulées par des parents qui nous avaient charpentées, équilibrées, ma sœur et moi, avant de périr dans un incendie. Je sentais le regard de Rose, avant sa main sur mon bras. J'étais revenue d'Afrique pour les enterrer, sans Aristide retenu par ses chantiers. Je regagnais mes racines sur cette Île, plus profondes que celles qui serpentent autour des arbres africains. J'ai failli ne jamais revenir à Johannesburg. Je faisais tourner mon alliance, j'espérais presque la faire disparaître. L'exil avait duré trop longtemps, je devais

revenir ici, chez moi. Quand Rose est tombée malade,
Luc n'a guère été plus présent. Seule Marnie, qui n'était
pas en âge de comprendre, s'émerveillait de ce père qui
arrivait au volant de sa Jaguar, le coffre chargé de cadeaux.
Rose pouvait encore marcher, ou descendre dîner, et nous
donnions à Marnie l'illusion d'une famille parfaite. Rose
finissait par reprocher à Luc son insouciance. C'était bien
légitime après tant d'absences. Les disputes allumaient ce
feu de paille et s'arrêtaient aussi soudainement que les
orages de l'Île, les laissant chacun sur des bords oppo-
sés, se tendre la main en vain. Luc disparaissait dans un
nuage de poussière en emportant le sourire de Marnie
et tous les nôtres.

Luc était à Glass le soir de sa mort. Je l'avais ramené
pour Marnie. L'orage, une fois de plus, a été si violent
que nous avons été privés d'électricité. Marnie s'est
réjouie de ce dîner aux chandelles. La pluie tombait
si fort qu'il ne nous restait plus qu'à imaginer un paysage à l'extérieur de notre maison de verre. Luc avait
été si tendre avec Marnie. Je dissimulais mon inquié-
tude qu'il conduise par ce temps, même si la pluie avait
cessé comme à son habitude, de manière très soudaine.
Je lui ai proposé de rester, il a refusé avec ce sourire
qui faisait penser aux promesses de la nuit. C'est de
ma chambre que j'ai entendu la terrible explosion. J'ai
écarté le rideau, des flammes dansantes ont surgi de la
falaise. Luc adorait conduire et nul n'a compris ce qui
s'était passé cette nuit-là. La voiture s'est écrasée sur les
rochers et embrasée aussitôt. Ni la police du Continent,
ni Géraud n'ont pu venir à Glass avant le lendemain
matin, les routes étant impraticables, et la nuit trop nua-
geuse pour que l'hélicoptère décolle. Il ne restait qu'une
carcasse de voiture complètement calcinée, et plus loin
le corps méconnaissable et sans vie de Luc. La police a

décelé que mon fils ne portait pas sa ceinture au moment de l'accident et qu'il avait été projeté hors de la voiture au moment de la chute. Je peux dire que cela a été la pire nuit de toute mon existence.

Marnie

De bonne heure, Vincy jette des cailloux contre le verre de ma chambre. Quand j'ouvre les épais rideaux, il fait un temps magnifique et Vincy, en bas, agite son béret pour me dire bonjour. Je m'habille sans me laver. Une culotte, un short et un tee-shirt. Je brosse juste mes dents à cause des baisers à venir. Je remplis mon sac à dos avec trois fois rien. Je file doux avant que toute la maison ne se réveille. Vincy m'attend avec ses cheveux hirsutes, ses yeux bleus et son sourire ; je ne vois que lui. Il porte des baskets sans chaussettes, un jean et un tee-shirt gris où un avion pique du nez. Le soleil nous tombe dessus comme une boule de feu. On retourne sur le Continent. Nous descendons lentement à l'embarcadère, main dans la main, en nous racontant des trucs de grands qui vont se marier. Vincy m'embrasse une première fois sur le ferry. Je n'aime pas trop à cause des gens qui nous fixent tout en regardant ailleurs. Je nettoie l'oreille de Vincy avec ma langue. Vincy a encore piqué dans la caisse de la pharmacie, on a de quoi rester deux jours et dormir à l'hôtel « Le Continent ». Et sans Jane cette fois-ci. Ma petite blonde ne me manque pas, j'ai Vincy rien que pour moi. Il sort un paquet tout froissé de sa poche et allume une cigarette.

Il bascule sa tête en arrière et recrache la fumée en visant le ciel. J'attrape sa cigarette, crâneuse, tire sur le mégot couleur sable et une fois de plus je m'étouffe. Vincy enlève son tee-shirt, sa peau est blanche, sauf la cicatrice, rouge comme un trou de cigarette. Il passe son bras derrière mes épaules comme si je lui appartenais, et pour une fois je veux bien. On a retiré nos baskets et posé nos pieds nus sur le siège d'en face. La mer est bleue, un bleu marin, là où l'eau est si profonde que rien ne transparaît en surface. Le Continent approche, j'ai hâte de me promener nez au vent avec Vincy. Sur terre, le béton du quai me brûle les pieds, je remets mes baskets. Vincy a noué son tee-shirt à sa ceinture. On se rend direct à l'hôtel qui ne nous a pas oubliés et nous donne la même chambre. La vue sur mer, je m'en fiche. Vincy vient de s'allonger sur le lit et me tend ses bras. Je m'y écroule. Je le lèche un peu partout, le nez, la joue, la bouche. Je resterais bien dans ce lit deux jours entiers à le lécher comme une glace géante. Vincy me demande si j'ai déjà fait ça.

— Ça quoi ?

C'est vrai, je ne comprends pas. Il me dit que lui non et je lui réponds « moi non plus » pour lui faire plaisir. Il me chuchote à l'oreille, pour que les mouches de la chambre n'entendent pas, qu'il le ferait bien avec moi si je voulais. Et là, je pige. Une vraie dinde. Je pense au cours de madame Belgrade et à ses dessins atroces. Je revois maman sur la commode, papa entre ses jambes, tous deux nus et en sueur.

— Est-ce que cela fait mal, Vincy ?

— Je n'en sais rien.

J'ai eu mes règles l'année dernière et j'espère que ce n'est pas aussi douloureux. Dehors le soleil frappe au carreau et entre sans permission. On pourrait sortir et se balader dans les rues grouillantes et pourtant j'hésite. Je sais que

Jane n'a jamais fait ça non plus et je ne vois pas qui je pourrais questionner à part Vincy qui n'y connaît rien. Je suis troublée qu'il me le demande. J'ai quatorze ans, j'ai cent ans. Je suis plus vieille que grand-mère. Mais je ne suis pas encore prête pour ces choses-là. Je dis à Vincy qu'il sera le premier, mais pas là, sur les draps blancs d'un hôtel. Je résiste, il ne faudrait pas grand-chose pour que je change d'avis. Si Vincy insiste, je suis capable de retirer tout ce que je porte sur moi et ça ne prendra pas longtemps. Vincy s'assied au bord du lit et me regarde avec douceur. Puis il dit qu'on attendra et il enfile ses baskets. Mon cœur a pris l'ascenseur avant de retourner à sa place. J'ai quatorze ans et j'ai peur de grandir.

Marnie

Le beau temps fait sortir les gens de chez eux comme une promesse. Je n'ai plus peur de la foule, je m'y noie avec Vincy. Nos mains refusent de se quitter. Nos pas sont ceux d'une danse des rues. Nos bras s'élèvent pour dépasser les plus lents, ceux qui ne sont pas pressés d'arriver, qui s'y refusent peut-être. Les voilà qui s'éloignent dans ces rues en pente, pigments de couleurs sur le béton du trottoir quand je me retourne. Les boutiques ne nous attirent pas, que ferions-nous de ces vêtements pour touristes ? Vincy vient d'ajuster sa paire de lunettes qui cachent ses yeux bleus. On dirait un acteur venu incognito sur le Continent que je serais la seule à reconnaître. Je dis : « Enlève tes lunettes » pour profiter du bleu de ses yeux, ma transparence, le bord de mer, les criques où personne ne vient. On s'écarte de la foule pour s'échouer à la terrasse d'un café. Je commande un Indien, Vincy une bière. Je trempe mes lèvres dans ce liquide jaunâtre. Vincy dit que j'ai de la moustache et que je pourrais être le frère qu'il n'a jamais eu. J'étire mes jambes, un pied sur l'autre. Je suis le frère de Vincy. Je suis la sœur de Jane. On finit nos verres en regardant les gens passer, une religieuse avec une poussette, un homme et son fils qui portent le même polo marine avec un crocodile, une vieille dame en chaise roulante poussée par un infirmier aux yeux jaunes. Une bande de garçons et filles rigolent et dansent, tous en shorts et en tongs, des écouteurs aux oreilles avec le fil blanc qui leur dessine un collier, une musique sourde rien que pour eux. Leur monde et le mien n'ont rien à voir. Je n'ai pas besoin d'écouter de la musique pour la ressentir. Le vent, la pluie, les feuilles sèches, mes pas sur les chemins en font autant. Je comprends soudain ce que papa aimait sur le Continent. Tout ce bruit permanent, ces pépiements, les Klaxon des voitures, ces boutiques alignées aux devantures soignées, le bruissement des pas de la foule, ces lumières partout, du feu vert aux néons des bureaux qui vous attirent autant que le soleil, une vie qui s'empare de tout, vous avale tout cru, vous grille comme des papillons sous le feu follet des lampes. Grand-mère a raison. Une vie artificielle pleine de fausses joies, aussi inutile que des ampoules en plein jour, parfaite pour un abruti comme papa. Il faut vraiment avoir le cerveau aussi gros qu'une noisette pour se dire que la vie c'est ça, ce dérisoire spectacle du tout qui brille. J'ai souvent entendu aux portes ce que grand-père Aristide disait à son fils unique et j'aurais mieux fait de me promener dans les bois. Jamais je n'accepterais qu'on me parle ainsi. Je voyais papa se tasser puis disparaître dans le fauteuil, face à grand-père qui aboyait, la tête en feu, pleine d'une colère de père à laquelle je n'ai jamais eu droit. C'est peut-être pour ça que je fais ce que je veux. Personne n'a osé me secouer de peur que tout se brise à l'intérieur. Une fillette fragile, tout en verre. Voilà comment ils me voient tous. Je me fiche bien d'être comme ça tant que Vincy est là. Et tant pis si Olivia a éloigné son fils sur le Continent. Oui, je sais des choses. Trop, sans doute. Et crier au bord des falaises ne me suffit pas.

Marnie

Vincy m'a offert une nouvelle paire de lunettes de soleil avec l'argent de la pharmacie. Je les adore. Je ne veux plus jamais les retirer de mon nez. Je cache mes yeux derrière deux cœurs teintés en vert foncé. Et je vois la vie plus douce avec ce filtre de couleur. On a tant marché que j'ai une ampoule sous le pied gauche. Vincy m'embrasse dans l'ascenseur de l'hôtel. Sa bouche a le goût de la bière qui mousse et de la cigarette. J'ouvre grand les fenêtres de la chambre avec vue sur mer, là-bas au loin, faut le savoir. Je colle un sparadrap sur l'ampoule. Si elle gonfle encore, je la percerai avec une aiguille. On s'allonge sur le lit, la télécommande à la main. On regarde tout et n'importe quoi. Un documentaire avec des guenons, un jeu idiot où on gagne une salle de bains si on répond bien aux questions, un film avec Madonna qui ne chante pas, une série sur la mafia où tout le monde se fait buter, des clips avec des Noirs habillés de manteaux de fourrure, des colliers en or et des bagues en tête de mort à tous les doigts, une pub sur des curés qui mangent du fromage. Le tout avec mes lunettes de soleil. Vincy s'est endormi, je le comprends. Dommage, il ne dort pas les yeux ouverts. Je soulève une de ses paupières, je me rassure comme je peux. Il s'est couché sur le côté, sa jambe sur les miennes. Je lui caresse ses cheveux ébouriffés comme je le ferais avec un chien si j'en avais un. Grand-mère n'en veut plus. Elle en a eu en Afrique, la peau sur les os, abandonnés dans les rues, des chiens qu'on mange, sinon. Elle dit qu'on les pleure plus qu'un fils quand ils meurent. Elle ne se souvient plus de leurs noms. Je crois qu'elle ment, qu'elle ne veut plus se rappeler. Je déplace la jambe de Vincy, je me colle à lui. Je vais rester contre lui, mon chien errant aux cheveux hirsutes que personne ne mangera à part moi. Il est tout vert à cause de mes lunettes que je ne veux pas retirer. Il dort encore, son bras se soulève et atterrit sur mon épaule, comme papa et Rose. Je suis sa rouquine. J'imagine la tête de grand-mère ou, pire, de Prudence. Je m'en fiche, elles n'en sauront rien. Même pas son père, le pharmacien, qui ne sait pas compter son argent. Quant à Jane qui a dormi ici, je sais qu'elle se taira. C'est devenu notre secret à tous les trois. Vincy ouvre les yeux sur mes lunettes en cœur et m'embrasse. Sa bouche est encore pleine de sommeil. On fait partie de la mafia, nos revolvers sont cachés sous nos oreillers. J'ai gagné la salle de bains que j'offre au réceptionniste. Vincy retire son manteau en fourrure et me couvre de bijoux en or. Les guenons se sont enfuies par la fenêtre. Madonna me chante à l'oreille *La Isla Bonita*. Les curés sont derrière la porte comme des gardes du corps et s'empiffrent de gruyère. Pas besoin de sortir, d'enfiler une jolie robe et de rester aux portes du casino. Le paradis est ici, dans cette chambre moche, sur ce lit où le temps n'a plus d'importance. Je n'ai pas faim. Je veux juste respirer la bouche de Vincy, mordiller sa langue et le bord de ses lèvres. Attraper cette petite goutte de sueur qui menace d'arriver sur ses babines. Vincy tremble comme si nous étions couchés dans la neige. J'aurais dû lui laisser ce manteau de fourrure dans lequel il aurait fière allure. J'ai bien fait de l'étriper avec mon compas. Je ne serais pas ici, sinon. Vincy me retire mes lunettes de soleil. Je grogne.

— Je ne peux pas embrasser tes yeux, sinon.

Le baiser papillon est passé de Rose à Vincy. Je me laisse faire, j'oublie Jane et maman. Grand-père et papa. Grand-mère et Prudence. J'oublie Glass. J'oublie tout, comme maman autrefois. Sauf Vincy.

Géraud

J'ai souvent défendu Olivia auprès des habitants de l'Île qui la jugeaient à la hâte. On ne s'attarde pas quand on est pauvre. La vie vous rappelle que rien n'est facile, et les agissements d'Olivia ont de quoi agacer. À commencer par ce coiffeur qui se déplace du Continent pour embellir sa vieillesse. Certains patients les prétendent amants, d'autres pérorent que les gens riches ont toujours le goût de compliquer les choses. La plupart ne voient pas l'utilité de se rendre belle sur une Île où pas une âme ne vous regarde. Tout s'est aggravé avec les chèques qu'ont reçus les Delaunay et les Passerot. Luc, encore adolescent, avait troussé brutalement leurs filles. L'argent sale a effacé les bleus mieux que la glace. Heureusement l'avocat d'Aristide a su se montrer persuasif et personne ne s'est rendu à la police du Continent. Le linge sale se lave en famille à défaut de retrouver son éclat. Moi qui n'ai jamais su attirer les femmes de l'Île malgré mon désir, j'ai toujours été fasciné par les Mortemer et je m'en défends encore. J'ai un pied sur chaque rive, tantôt l'Île, tantôt eux, tandis que leur fleuve se déchaîne entre mes jambes, et m'empêche d'avancer. Je les observe depuis trente ans avec une paire de jumelles factice, parfois de près, le plus souvent de loin. Mon métier m'accapare trop, ou l'inverse, mais je me refuse à l'admettre. Le regard polaire d'Olivia me renvoie souvent aux religieuses de l'orphelinat où je suis né. J'éprouve encore des sentiments confus à son égard, je l'avoue. Mais avec le temps, ils se patinent comme le cuir de ma sacoche. Olivia est bien trop inaccessible pour un homme comme moi. Pourtant, face à elle, je redeviens un instant ce gamin qui tentait de la séduire sans y arriver. Et j'obtempère à toutes ses demandes, sans la moindre récompense. Je suis trop vieux, maintenant, pour un baiser d'Olivia. Je n'en ai rêvé qu'enfant, et le ferry a tout emporté.

Rose était la plus fragile. Ayant perdu parents et grands-parents, elle s'entendait à merveille avec Olivia. Je les croisais souvent à travers les champs tandis qu'elles descendaient vers le bord de mer. Le temps de les saluer, je prenais un peu plus de retard. Rose a insufflé sa fraîcheur et son goût de vivre à Olivia qui se desséchait sous la brutalité d'Aristide. Elle est entrée dans cette famille qu'elle a faite sienne malgré les tempêtes. Elle s'est accrochée aux Mortemer comme du bois flottant qui l'a fait dériver vers une chute plus vertigineuse que les falaises. Seul le verre de Glass est transparent. Sans l'acier, cette maison n'aurait jamais résisté au climat de l'Île. Et Rose manquait de cette dureté dont seules Olivia et peut-être Marnie ont su s'armer.

J'ai assisté Rose tout au long de sa maladie. Elle a fait preuve d'un courage auquel je suis peu habitué sur l'Ile. Quand elle a su qu'il n'y avait plus rien à attendre, elle a consacré le peu de forces qui lui restait à Marnie. Elle a compris que son grand amour pour Luc ne pouvait résister au cancer. Elle regardait parfois les photographies dans sa table de nuit et me les tendait pour que je les observe à mon tour. Sa vie d'autrefois se résumait à ces clichés qui bientôt, après sa mort et celle de Luc, n'auraient plus la moindre valeur. J'ai su par Prudence qu'Olivia a passé plusieurs nuits dans cette chambre qui avait été sienne et que Rose occupait depuis la mort d'Aristide. Elle dormait à la place de son fils et veillait sur Rose.

— On aurait dit qu'elles dérivaient ensemble, se souvenait Prudence, loin de Glass, vers une terre promise qui les attendrait l'une et l'autre après leur mort.

Une étrange femme que cette intendante. L'ombre des Mortemer. J'ai de la compassion pour Marnie qui ne se plaint jamais et apprécie sa solitude, loin des débordements de ce clan. Je m'en méfie aussi : c'est une Mortemer, aussi têtue et secrète que sa grand-mère. Elle m'attrapait souvent par la veste quand je venais à Glass et me faisait répéter cent fois les quelques mois promis de rémission. Et encore, je lui mentais et je n'en étais pas fier. Cette gosse a le don de me mettre à l'envers. Je sais bien qu'elle attendait un miracle. Elle n'est pas la seule sur l'Île. Le compas m'a laissé penser que Marnie pouvait être dangereuse, laissée à elle-même, dans la tourmente depuis sa naissance. Mais elle n'est ni chétive, ni craintive. Elle est l'avenir des Mortemer. Je sais qu'elle dort parfois dans ma grange sans que sa famille s'en inquiète. Je m'en suis ouvert à Olivia.

— Mais enfin, Géraud, il faut bien que la petite s'abrite pour dormir à la belle étoile ! Cela me rassure d'apprendre qu'elle a choisi votre grange. Cela prouve que Marnie a du bon sens.

Les hommes, dans cette lignée, ont été la disgrâce des Mortemer. Aristide m'ayant pris Olivia, je ne suis pas le meilleur juge. Je l'ai toujours senti arrogant. Je l'ai soigné pourtant comme n'importe lequel des habitants de l'Île. Mais il n'était pas l'un des nôtres. Il revenait d'Afrique avec une MST que j'ai guérie sans en parler à Olivia. Nous étions liés par ce secret qui m'a éloigné d'eux un certain temps. Je déclinais les invitations d'Olivia, j'avais toute une Île à sauver. Je lui en voulais presque d'avoir choisi Aristide alors que je n'avais pas eu de nouvelles d'elle pendant près de trente ans. Je suis revenu à Glass pour les maladies infantiles de Luc, puis quand il s'est cassé le bras, adolescent, en escaladant la grille des Orégon. Il fréquentait leur fille, je crois. Olivia n'a jamais eu le moindre problème de santé. Je lui reprochais presque de me refuser ce droit de la soigner. Je suivais le diabète d'Aristide, ou ses bronchites, l'hiver. En fait je les évitais tous deux autant que possible. Je ne supportais pas ce que je croyais être le bonheur d'Olivia jusqu'à ce que Prudence me presse de venir à Glass. J'ai fait front avec les femmes Mortemer ainsi que leur intendante qui m'assistait à la perfection. Je n'ai pas cherché à comprendre les raisons qui ont poussé Aristide à agir ainsi. Tout comme Luc avec Rose. Je les ai jugés sur place, entre les hématomes d'Olivia et le cancer de Rose. J'ai fait ce que je pensais être bien. Ma seule passion reste la médecine. Luc est juste un fils de bonne famille qui a pris du bon temps grâce à l'argent de son père. Les habitants de l'Île disent bien pire. Sa mort n'a attendri personne. Les Delaunay et les Passerot ont apprécié la justice de Dieu. Et pourtant à son enterrement, comme à celui d'Aristide, nous étions tous présents. Après tout, nous venions, tous unis, prier pour le salut des Mortemer.

Olivia

Glass, une prison de verre où je me suis enfermée au fil des ans. Je suis passée d'une chambre à une autre, le lendemain du jour où Aristide m'a frappée pour la première fois. Quelques mètres qui n'ont rien changé sinon mes longues nuits de solitude, écrasée par les somnifères qui me rendaient apathique au réveil. Prudence m'a aidée à emménager dans une chambre d'amis que je gardais pour ma sœur qui n'est jamais venue. Qui viendrait s'enterrer sur cette Île si ce n'est moi ? J'ai essayé d'être une bonne épouse, puis une bonne mère, je n'ai été ni l'une, ni l'autre. Mais j'ai Marnie, la petite, sur laquelle je veille constamment comme sur l'objet le plus précieux que je possède. Je l'observe, je l'épie, je la suis parfois. Difficile de me cacher derrière les arbres ou sur les chemins qu'elle emprunte. Surtout celui qui descend à pic vers la crique où elle se baigne nue. Je n'ai jamais osé lui en parler. Qui suis-je pour juger les choix de ma petite-fille, étrangement épargnée par les différents décès qui se sont succédé à Glass ? Comme la pluie dévalant le long du verre, rien ne semble l'atteindre. Je me souviens à peine comment j'étais à son âge. Sûrement peureuse et ignorant tout de la vie. Je ne condamne pas mes choix. La vie est ainsi faite, on se trompe souvent. Je n'arrive toujours pas à m'habituer au désamour avec Aristide. Il est mort, paix à son âme. Il ne me frappera plus jamais. Le jour où il a commencé, j'ai cessé de l'aimer. Je ne supportais plus de le voir. Partager un repas avec lui relevait d'un effort que je ne souhaite à personne. Et pourtant je suis restée. À cause de Luc, Rose, puis Marnie. J'ai trouvé des raisons d'être dans nos affrontements. Côme a été le plus merveilleux des confidents. J'ai passé des heures dans ce confessionnal, à l'abri de son regard, sans être jugée. Je me suis délivrée du poids des mots, de la brutalité d'Aristide, de mes désirs nocturnes. J'étais souvent gênée quand, sortie de cet abri, les yeux de Côme se posaient sur moi, si bienveillants pourtant. J'ai protégé Rose autant que j'ai pu. Elle savait que je ne partageais plus la chambre d'Aristide. J'avais prétexté d'épouvantables ronflements qui m'empêchaient de dormir. Je pensais sauver les apparences, je me perdais en moi-même. J'avais beau me vêtir de chemisiers fermés au poignet, de jupes longues, mon visage parfois trahissait ma souffrance. Aristide, heureusement, ne m'a jamais frappée en cet endroit, mais la peur, sans doute, donnait à mon regard une étrange fixité que Rose a forcément ressentie. Je devenais un livre ouvert, dont les pages se tournaient entre toutes les mains. J'avais parfois du mal à me lever certains matins dans la chambre d'amis devenue mienne. Je me rassurais de ne pas y voir l'ogre sur l'oreiller voisin. J'avais toutes sortes de pommades prescrites par Géraud que je passais sur mes bleus matin et soir. Prudence parfois prenait la relève et m'appliquait la glace là où je souffrais le plus. Les coups finissaient par prendre une horrible couleur bleu violacé avant de virer au vert, puis au jaune, disparaissant ensuite comme les mauvais souvenirs. Je me cachais sous mes vêtements, je refusais de voir ce corps malmené, déformé par les mains qui avaient bâti ce lieu où je ne rêvais plus la nuit. J'ai souvent souhaité la mort d'Aristide, et pourtant, quand il ne rentrait pas plusieurs jours de suite, je m'inquiétais. Je m'inquiétais, oui. Un lien invisible persistait entre nous, loin de ses poings, de son visage cramoisi de colère, de toute la haine que je lui portais. Je ne saurais le décrire autrement : une sorte de territoire neutre où nous aurions fait la paix. Cela ne durait pas longtemps ; dès qu'il revenait, je le haïssais davantage de m'être souciée de ses absences.

Tout a commencé à la naissance de Luc. Je n'ai jamais su comment cette colère avait mis tant de temps à surgir. Le climat changeant de l'Île, le verre de Glass qui impose la transparence, l'insouciance de Luc, que je ne lui donne tardivement qu'un seul enfant, je n'en sais rien. Et moi sa femme, mariée pour le meilleur en Afrique, je n'ai connu que le pire ici. J'ai fini par brûler et jeter les souvenirs des belles années pour ne pas m'infliger la mémoire des jours heureux. Je n'ai gardé que quelques tableaux et statuettes africaines qui ne m'ont rendue ni féconde ni heureuse. Et peu à peu, la peur m'a quittée, tout comme l'amour. Je ne ressentais plus aucun sentiment pour celui dont je refusais de porter l'alliance. Elle avait échoué dans ce coffre à bijoux, sous le collier de rubis que j'avais porté pour la dernière fois au mariage de Rose. Quarante ans de vie commune où ne subsistaient que la haine et ce territoire désolant d'un ultime espoir. Par la suite, je me suis débattue, je le griffais, je le mordais au sang, je lui faisais mal. Mais cette douleur amplifiait sa colère. J'avais fini par remarquer que les coups duraient moins longtemps si je ne réagissais pas. J'ai inventé la piscine et la profondeur de l'eau pour disparaître. Une sorte d'état second, une absence, où il aurait pu me tuer, tellement je faisais la morte. Et je sortais de ces moments comme un plongeur en apnée, suffoquant de l'air qui me manquait, découvrant l'étendue des blessures, hurlant ma douleur d'avoir trop attendu pour me retenir davantage. Et je sais bien que Rose, Marnie et même Prudence ont dû m'entendre, même si cela m'a toujours arrangée de penser le contraire. Qu'elles me pardonnent.

Manos

Je suis né en Crète, dans une ferme cernée par les champs d'oliviers. À dix ans, je coiffais toute la famille. On m'offrait des ciseaux et des peignes pour mes anniversaires. À vingt ans, je suis parti voyager en Europe et j'ai choisi mes amants selon leur pilosité, entre les barbes à tailler, les moustaches à affiner et les tignasses les plus extravagantes à exécuter. J'ai même dessiné un capricorne à l'arrière du crâne d'un tatoué. À trente ans, j'ai suivi un motard sur le Continent qui m'a largué pour un gars plus costaud. Autant le dire, je suis plus maigre qu'une mannequine finlandaise. Je suis resté à cause du propriétaire d'un salon de coiffure qui cherchait un successeur. L'affaire s'est réglée très vite, le vieil homme était pressé de prendre sa retraite. Me voici à la tête d'une petite entreprise de trois salariés et, quelle que soit la saison, le cahier de rendez-vous ne désemplit pas. J'ai un faible pour les femmes élégantes. Particulièrement madame de Mortemer que j'ai coiffée le premier jour de l'ouverture du salon, il y a trente ans de cela. La classe, jusqu'à ses ongles manucurés et le choix de ses vêtements luxueux dont je voyais les étiquettes en rafraîchissant sa nuque. Blindée, la reine mère, comme je la surnomme. Pas très causante les premières fois, je l'avoue. J'avais pris l'habitude de permanenter toutes ces bourgeoises du Continent qui me racontaient leurs écarts en gloussant comme des oies. Mes mimiques devaient leur plaire, elles ajoutaient des détails sur la proéminence du sexe ou du ventre de leurs amants sous lesquels elles avaient cru mourir étouffées. Madame de Mortemer se contentait de me donner quelques ordres sur sa coiffure, elle savait parfaitement ce qu'elle voulait. Au cinquième mois, elle m'a prié de venir à Glass. Je déteste cette cage vitrée sans intimité. Nous n'étions à l'abri que dans sa chambre, face à la coiffeuse, et j'évitais de regarder ces parois de verre qui me donnaient le vertige. Quant à monsieur de Mortemer, un grizzli m'attaquant dans une forêt bavaroise m'aurait davantage séduit. Pas étonnant qu'il ait conçu ce lieu, cet homme était aussi coupant que le verre et plus dur que l'acier de son œuvre, désagréable de surcroît, me regardant comme un insecte à écraser sous ses Weston impeccablement cirées. À quarante-cinq ans, madame de Mortemer était vraiment une belle femme, avec des yeux verts hypnotiques qui me faisaient l'effet du boa dans *Le Livre de la jungle* lorsqu'ils se posaient sur moi. Un livre que ma mère me lisait quand j'étais enfant, mais en louchant quand elle imitait le serpent, ce qui me faisait plutôt rire. Madame m'aurait réclamé de lui raser la tête, je l'aurais fait sur-le-champ. Mais ce n'était pas son genre. Elle avait de très longs cheveux bruns, et quelques fils blancs que je faisais disparaître sous mon pinceau. Elle aimait que je lui dégage la nuque et ramasse son chignon façon bohème, savamment désordonné, et figé par un nuage de laque. Je viens à Glass une fois par mois. Soit douze fois dans l'année. Et trois cent soixante fois depuis notre rencontre. Le Grizzli les deux premières années n'avait pas encore acéré ses griffes. Il était aimable à mon égard et tendre avec madame. Il passait parfois une tête dans leur chambre et demandait s'il devait inviter les Dejonchères à dîner, ou faire une nouvelle commande de pivoines, les fleurs préférées de madame. Agacée, Olivia de Mortemer le congédiait d'une main et nous retournions à son chignon. Je reconnais que monsieur avait une certaine prestance, mais elle datait un peu. Je jugeais étrange qu'il s'habille de costumes à la campagne. Il portait des cravates en laine bordeaux, affreuses, et sa moustache broussailleuse aurait eu bien besoin de mes ciseaux. J'étais la chose de madame, je me suis bien gardé de donner mon avis. Puis la reine mère s'est arrondie et m'a confirmé attendre un enfant. J'étais heureux pour elle ; madame avait l'air plutôt contrarié. Quand elle a accouché, je ne suis pas venu pendant quatre mois. Je l'ai trouvée amaigrie et le regard terne. Mon boa s'en était allé. Elle m'a confié avoir perdu beaucoup de sang et ne pas comprendre pourquoi toutes les mères s'extasiaient en accouchant d'un garçon. Elle avait confié son fils à Prudence comme on se débarrasse d'un colis encombrant. Pour ma part, j'ai un chat, un chien et un canari et pas de place pour un môme, même si un Apollon me l'ordonnait. Je crois l'avoir soulagée en partageant son point de vue. Aristide ne nous rendait plus visite, je le croisais parfois en quittant Glass, il me saluait de la tête et reprenait sa balade. Lors des rencontres qui ont suivi, nous avons changé de pièce. J'avoue ma surprise en découvrant que madame occupait dorénavant une chambre d'amis, mais je suis habitué aux lubies des gens riches, plus rien ne m'étonne. Je me suis toutefois inquiété pour madame qui avait du mal à s'asseoir et manquait d'aisance avec ses jambes et ses bras. J'ai pensé qu'elle avait dû faire une chute dans les escaliers de ce zoo sans bestioles, et je me suis permis de l'interroger. Elle m'a regardé d'un air las et a retroussé la manche de son chemisier. Je reconnaissais ces marques qui me rappelaient de mauvais souvenirs. Un amant à Vienne m'avait roué de coups, excité par ma belle petite gueule de Grec. Je me suis enfui loin de lui, je ne suis pas le genre à tendre l'autre joue.

— Monsieur ? ai-je simplement demandé.

Mon exquise cliente a penché la tête. Je suis resté avec mes ciseaux et mon peigne au-dessus de son chignon, aussi muet qu'un mort. Je lui aurais bien conseillé de filer avec Prudence et son fils. Ce n'était pas un problème d'argent, contrairement à nous, pauvres mortels. Je ne suis que son coiffeur et j'ai fermé mon clapet. Je crois que madame a apprécié mon silence. Elle a fait glisser la manche de son chemisier jusqu'au poignet et je suis retourné à sa chevelure.

Luc grandissait, monsieur était souvent enfermé dans la bibliothèque, lisant des livres, ou travaillant sur de nouveaux projets que je ne souhaitais pas connaître. De toute façon, il ne m'a jamais convié à entrer, je sentais l'affreuse odeur de son cigare en partant. Madame aimait nos rendez-vous. Je lui apportais des nouvelles du Continent, lui racontais mes clientes et parfois mes aventures sans lendemain. Au début, j'ai beaucoup hésité, je pensais la choquer. Mais elle m'encourageait étrangement, et parfois j'arrivais à la faire rire avec mes piètres techniques de séducteur. Luc faisait irruption dans la chambre et mimait l'avion. Prudence, jamais loin, le récupérait en s'excusant auprès de madame. Je m'attachais chaque mois un peu plus à cette cliente si courageuse qui évitait tout sujet la concernant. Un jour où nous n'étions que tous deux, j'osai franchir une étape.

— Pourquoi ne quittez-vous pas monsieur ?

Je l'ai sentie se raidir et j'ai pensé que je lui coupais les cheveux pour la dernière fois.

— Manos, je ne partirai jamais de Glass. Je suis ici chez moi, sur la terre de mes aïeuls. Ce qu'Aristide me fait subir ne vous regarde pas. J'ai été sotte de vous le montrer. Je vous crois assez fin pour oublier le peu que vous savez de cette histoire. Sinon, je serais contrainte de chercher un autre coiffeur, suis-je assez claire ?

Si j'avais pu, j'aurais avalé tout mon matériel de coiffeur. Je suis devenu blême. Quelque chose dans sa voix et son regard que j'apercevais dans le miroir de la coiffeuse me faisait penser à l'acier et au verre de cette cage où madame s'était enfermée en jetant la clé. Je m'excusai platement et la reine mère me gratifia d'un de ses sourires qui rendaient à ses yeux le boa qui me manquait tant.

— De toute façon, je ne trouverais jamais un coiffeur aussi drôle que vous. Ne vous fiez pas à ma dureté, elle n'est qu'un corset pour mieux me défendre. La vie, voyez-vous, m'a appris à ne pas me relâcher. Le faire, c'est aller au-devant des pires ennuis, vous comprenez ?

Non, je ne comprenais pas, mais je me suis tu. J'adore me laisser aller justement, et profiter de l'instant présent. Ce ne sont pas tous mes amants qui diront le contraire.

Luc dépassait les Mortemer d'une tête. Il courait les filles, j'en entendais parler sur le Continent. Cécile Delaunay était une de mes clientes. L'affaire a fait du bruit puis s'est éteinte comme un feu de paille. Et Glass a rajeuni dès que Rose est apparue. Je l'ai coiffée aussi, à la demande de madame. Sa présence et sa grâce me faisaient penser à une baguette magique qui transformait tous ceux qui l'approchaient. Un seul être humain peut tout changer à ce point, j'en ai été témoin. Luc était devenu bel homme, mais pas mon genre. Trop hétéro à mon goût. La chemise débraillée au troisième bouton, ses mocassins, ses voitures de sport, un truc pour épater les filles. Pas un Grec comme moi qui les préfère plutôt costauds et barbus. Et j'avoue pourtant avoir été troublé par Rose, ou plutôt par sa pureté, très rare de nos jours. Nous avions des fous rires quand j'essayais de reproduire les modèles qu'elle avait découpés dans des magazines. Elle me questionnait sur ma vie privée, pire que madame. Elle s'étonnait de tout, à croire qu'elle n'avait rien essayé. Je penchais ma tête près de la sienne et nous nous regardions dans le miroir en pouffant. Je commençais à avoir quelques cheveux blancs que Rose jugeait très sexy. Ceux de madame posaient davantage de problème. Nous sommes passés à la couleur et je lui ai trouvé un gris argenté de toute beauté. En observant Rose et madame, je remarquais à quel point ces deux femmes se plaisaient. Pas comme deux amies, je dirais plutôt mère et fille. Madame ne cessait de la conseiller sur tout. Sur sa boutique sur le Continent où je suis allé plusieurs fois m'acheter des babioles vu les prix, sur Luc pour mieux le garder auprès d'elle, sur ses vêtements que madame jugeait trop chic pour l'Île. Puis Rose a disparu toute une année sur le Continent. Madame m'a dit qu'elle attendait un heureux événement et qu'elle devait être au calme et près de ses médecins. Il m'a semblé l'apercevoir, mais de mon salon, j'ai pu me tromper, il y a beaucoup de jolies filles par ici. Et ce n'est pas ce que je regarde le plus. Marnie a fait son apparition dans un somptueux berceau tout en dentelles blanches que madame m'a laissé voir après sa coupe. Les enfants, je l'avoue, me laissent de marbre. Je les considère trop excités et braillant pour un rien. En grandissant, Marnie s'est révélée être l'âme de cette maison dans laquelle je commençais enfin à me plaire. Un mélange d'effronterie et de naturel. Monsieur s'était tassé, sa moustache touffue avait viré au gris, on ne faisait pas vraiment attention à lui. Il me donnait l'impression d'être une sorte de meuble encombrant que l'on déplaçait au gré des saisons. Il avait conçu Glass, et cette maison de verre et d'acier l'avait rejeté comme un intrus. Il y eut ce terrible orage qui inonda le Continent et détruisit la boutique de Rose. Elle s'installa à Glass. La maison semblait respirer à son rythme. Je sais combien la vie vous réserve de surprises, mais pas celle qui me terrassa un soir de novembre. Je n'étais que le coiffeur en cette demeure, mais de nombreuses années s'étaient écoulées et je m'étais depuis longtemps habitué à cette famille si particulière. Je n'imaginais pas mon avenir sans eux, alors que j'aurais dû me dénicher un compagnon. Rose est tombée gravement malade et a gardé son lit. Marnie désespérée faisait de nombreuses fugues qui inquiétaient madame. Tandis que j'enveloppais ses mèches sous mes papillotes et que je préparais ma couleur, madame a dit :

— Glass ne sera jamais plus comme avant.

Je le pensais aussi.

Puis monsieur est mort d'une crise cardiaque, ce n'est pas la peine qui m'a étouffé, madame non plus : elle n'a modifié aucune de ses habitudes. Je n'étais pas autorisé à entrer dans la chambre de Rose, je transmettais des petits mots à madame. Je ne sais pas si elle les lui a donnés. Je me désolais de cette situation en retournant sur le Continent. Je pensais à Rose, à Marnie, à madame. Je les trouvais courageuses. Un fil ténu sur lequel on aurait glissé trois perles rares, un bijou rare et inestimable que personne ne porterait jamais.

Vincy

Marnie me réclamerait une étoile, je la lui décrocherais. Je ne suis jamais resté aussi longtemps au lit avec une sirène à se regarder comme si c'était la fin du monde. Faut dire que je n'ai pas vraiment connu d'autres filles avant Marnie. J'en ai embrassé plein, à l'école, sur la plage, comme ça, pour voir, goûter au fruit, quoi. Mais je n'ai jamais eu envie d'aller plus loin. Ces petites chipies me laissaient seulement le goût du malabar qu'elles mâchouillaient en m'embrassant, ouvrant leurs grands yeux étonnés tandis que ma langue bataillait avec la leur, rien à voir avec la fièvre que je ressens pour Marnie. C'est un peu comme la grippe, mais sans être malade. Je ressens des picotements dans tout mon corps. Je tremble, mais je ne peux rien y faire. Tout m'attire en elle. Sa rousseur, sa peau très blanche, ces petites taches sur son corps comme la Grande Ourse par nuit claire. Et son regard curieux, avide, qui veut tout avaler, sa bouche gourmande qui me dévore tout entier. Faut que je me calme. Papa voit bien que je ne suis pas comme d'habitude. Je reste allongé des heures sur le lit de ma chambre et je pense à Marnie, à croire qu'elle est scotchée au plafond. Tout m'impressionne chez cette fille qui, pour moi, est un peu comme une Martienne. Des fois, je vois bien que je l'agace, que je suis en trop, un garçon parmi d'autres, une poussière dans ses yeux qui la démange. J'aimerais disparaître en claquant des doigts. Et des fois, elle me dévisage comme si nous étions seuls au monde, ce qui ne me déplairait pas. Je peux m'endormir, elle s'en assure en me soulevant la paupière, et quand je me réveille, elle est encore là, tout près, elle touche mon visage avec ses doigts comme si elle découvrait tout un territoire à parcourir, elle me lèche partout et je dis rien, je sens le feu et l'orage monter en moi, mais pas la foudre. Je ne parle pas beaucoup à mes potes qui veulent savoir si je l'ai fait, comme si j'étais un gars bardé de médailles comme on en voit dans les films. Je laisse planer le mystère pour voir les yeux écarquillés de mes copains, leurs nez en point d'interrogation, et leurs bouches béantes dans lesquelles je pourrais lancer des billes. C'est nul. Non, je suis toujours puceau. Marnie n'est pas prête. J'attendrai. Papa s'assoit au bord du lit.

— Ça va, mon garçon ?

— Ben oui.

— Alors pourquoi tu regardes le plafond depuis des heures ?

— Ça me calme.

— N'importe quoi.

Papa n'insiste jamais. La dernière fois, maman l'a quitté à cause de ça. Les conversations, ce n'est pas trop son truc. En rentrant du Continent ce matin, j'ai bien senti son parfum dans ma chambre, *Habit rouge*, une odeur qui ne me trompe pas, il sait que je n'ai pas dormi à la maison. Peut-être même qu'il a peur que je rejoigne maman et que je le laisse tout seul avec sa pharmacie. Cela ne risque pas, je l'aime bien, mon papounet, lui et sa caisse. Et puis maman habite trop loin. Toute ma vie est ici près de Marnie. À l'école, tout le monde est au courant, à part les profs à la ramasse. Les filles comme les grappes de raisin, toutes agglutinées les unes aux autres, murmurent des mots qu'on n'entend pas. Marnie les fixe avec un air de tueuse en série qui stoppe net le bavardage, leurs bouches sont si grandes que je pourrais y jeter un ballon. Les garçons ne tentent rien, ils connaissent tous le compas de Marnie. On suit vaguement les cours. On s'écrit des mots, dans le dos des profs, qui passent de main en main avant d'arriver aux nôtres. Toute la classe est complice. Qui refuserait un coup de main à une tueuse en série et à un voleur ? Sur le Continent, hier soir, nous n'avons pas quitté la chambre, ni mangé non plus. On est restés l'un contre l'autre, pour que rien ne nous sépare, jusqu'à ce qu'on s'endorme. On a pris le premier ferry du matin avec la marchande de fleurs, Agatha, qui nous a dit bonjour avec sa main. Au café de l'embarcadère, on s'est jeté sur les croissants et on a bu un chocolat chaud, même qu'il me restait de l'argent que j'ai remis dans la caisse avant de filer dans ma chambre. Je compte bien en chourer autant qu'il faut pour ensevelir ma petite rousse sous une montagne de cadeaux. Je ne sais pas trop encore lesquels.

Agatha

J'ai croisé Marnie ce matin sur le ferry, avec Vincy, le fils du pharmacien. Sa femme était une bonne cliente. Elle m'achetait des fleurs une fois par semaine. Elle est partie avec le boulanger et a abandonné son fils. Une bonne cliente, pas une belle personne. Si j'avais un fils, je ne l'abandonnerais pas. J'aimerais tant en avoir un. Mais pas d'homme. Je les ai tous en horreur, sauf le prêtre et le médecin. Ce n'est pas avec le prêtre que je vais avoir un môme. Et le médecin ne s'intéresse qu'à ses patients. J'ai bien essayé de lui dire qu'il me plaisait mais mon angine m'en a empêchée. J'ai juste dégrafé mon corsage, sous lequel se libèrent de beaux seins que je regarde parfois dans le miroir de ma salle de bains. Mais il s'est enfui comme si j'étais contagieuse. Depuis, il ne cesse de fixer ma poitrine que je cache sous des pulls bien épais. Le sexe ne m'intéresse plus. Mais si je veux un petit ange, il faudra bien le faire au moins une fois. J'ai des angines à répétition à force d'être sur le ferry matin et soir, et malmenée toute la journée par le vent, le froid et la pluie. D'ailleurs, que fabriquaient ces adolescents sur le premier ferry de la journée ? Je déteste ce monde qui tourne sans moi. Je suis prise dans la tourmente sans trouver le calme, ma tête mijote sans cesse. J'ai fui l'île de Bryher pour m'échouer ici, sans attaches, toujours entre deux terres au milieu de nulle part. Je suis seule, enfin. Pas un homme à surveiller, à soigner, à regarder mourir. Je vends mes fleurs, j'offre mes sourires aux bons clients, je les retire dès que je sens que cela va trop loin. Ceux des hommes sont aussi coupants qu'un rasoir. Leurs yeux se baladent toujours là où il ne faut pas. Je n'ai bien connu que Rose, la seule à me comprendre. J'aurais bien étranglé son mari juste pour la rendre heureuse. Marnie m'a dit qu'on approchait de la fin et qu'elle lui parlait de moi tous les jours parce qu'elle aimait entendre mon nom. La femme au prénom de fleur m'était destinée. La seule à être entrée chez moi. On buvait du thé, on vidait ma cave. On parlait du temps, de la maison de verre, de Marnie, des fleurs, un peu des hommes, surtout de Luc. Certaines femmes ont un don pour les comprendre. Elles les manipulent, les aiment et les tiennent en laisse, altières et désinvoltes. D'autres, comme Rose ou moi, n'ont jamais su comment s'y prendre. Nous pensions, l'une et l'autre, qu'il suffisait de tomber amoureuse pour que ce soit le bon. Le mien est enterré en Angleterre, le sien ici, et bientôt Rose, que je ne reverrai jamais. Alors un petit bout que je pourrais élever toute seule, je ne suis pas contre. Mais je refuse de coucher avec n'importe qui. Géraud Delorme est un homme bon, je le sais, mais il a peur des femmes. Je dois me faire plus douce et ne plus rien lui montrer sans qu'il le demande. C'est un homme pressé, il ne s'attardera pas dans ma vie. Il aime trop son métier pour s'attacher. Je veux juste un enfant de lui et qu'on se sépare sans que rien, ou presque, soit arrivé. Je peux m'inventer toutes sortes d'affections pour qu'il vienne à mon chevet. Une maladie qui ne fasse pas peur et ne m'empêche pas ni de parler, ni d'être belle. Pas trop pour ne pas l'impressionner. Juste assez pour l'attirer comme on prend le poisson au filet. J'ai quelques bonnes bouteilles que je garde derrière la maison. On pourrait en boire une pour mieux se comprendre, et deux pour faire la chose. C'est un mauvais moment à passer, je le sais, je l'ai fait sur l'île de Bryher. Je ne veux plus y penser. L'homme était malade et ne m'a rien dit. Je suis restée jusqu'à l'enterrement. Et cette fois-ci je veux tomber enceinte, pas amoureuse, et ne plus jamais sentir le poids d'un homme sur moi.

Olivia

Toute famille a ses secrets. Je n'aurais jamais pensé que j'allais écrire l'un des nôtres sur ce journal qu'il me faudra détruire aussitôt fait. Ce n'était peut-être pas une bonne idée d'écrire ces pages, je m'épanche trop à mon goût. J'ai cherché à soulager mes peines, je retournerai voir Côme. Et Prudence, bien sûr, à qui je dois tant, si proche, aux aguets comme le meilleur des chiens de garde. Tout a commencé avec Rose, ce roseau souple malmené par le vent de l'Île. Je me suis contentée de l'observer les premières fois. La maison de verre, tout comme moi, la jaugeait. Elle s'abandonnait au bras de Luc, soumise aux sortilèges de Glass. La lumière glissait sur son corps mince, dans des habits trop chic du Continent. Qu'elle dirige une boutique m'a impressionnée. Luc nous avait habitués à des femmes plutôt oisives, au QI d'un moineau, moins décoratives qu'un tissu de Frey. Rose avait une aisance et une élégance qui me renvoyaient aux années vécues en Afrique et aux États-Unis, et je lui en voulais un peu de me rappeler ce passé que j'avais enterré depuis longtemps. J'étais devenue l'épouse battue, honteuse de l'être dans sa chambre d'amis qui ne viendraient jamais me rentre visite. Et Rose est apparue, dans une famille où l'amour ne voulait plus rien dire depuis longtemps. J'observais leurs sourires, leurs gestes tendres qui me renvoyaient sur ce voilier longeant les côtes africaines où Aristide tenait la barre tandis que j'affalais les voiles. J'aurais voulu prévenir Rose que rien ne durait, mais l'intensité de son regard m'en empêchait. Je devenais réfractaire au bonheur tandis qu'il se répandait comme le lit d'un fleuve. Je m'habituais à sa présence, à ce parfum qui persistait longtemps après son passage, une fragrance qui évoquait l'encens des églises. Je la sentais aussi pure que l'eau des roches, je redoutais pour elle tout ce qui polluait. Je l'ai invitée à Glass après les inondations qui ont détruit sa jolie boutique du Continent. Elle aurait fait n'importe quoi pour retenir mon fils. Et je l'ai aidée. Tout est ma faute, même si je ne regrette rien. Je savais que nous n'étions pas à l'abri, que Luc fuyait sur le Continent à la recherche d'autres plaisirs. Je connaissais déjà son secret d'homme qui ne grandirait pas plus que lui. Mon fils était stérile. Des examens sur le Continent, à la suite d'une MST, le lui avaient révélé. Il m'a aussitôt prévenue. Pour la première fois, il se tournait vers moi. Je devenais sa mère dans son désarroi de n'être jamais père. J'ai fait venir un spécialiste de Californie, mais la distance n'a rien changé. J'ai longtemps pensé que ses absences étaient liées à ça, toutes ces autres femmes dont il empestait le parfum et qu'il nous obligeait Rose et moi à respirer comme un poison. Je suppose, aussi, qu'il ne souhaitait plus revenir à Glass parce que Aristide me battait. Qui sait ce qu'il aurait fait à mon bourreau, vivant sous le même toit. Je m'en veux pour ça. J'aurais dû lui en parler, banaliser toute cette violence, la rendre dérisoire, lui mentir même. Ne rien dire souvent aggrave les choses. Les gens s'imaginent des vérités bien pires. Les jeux, l'alcool, ces voitures rutilantes et décapotables, toutes ces lumières artificielles qui l'aveuglaient. Aucun

enfant ne porterait son nom. Il voulait de l'argent, il en
aurait. Libre d'habiter le Continent à la barbe de mon
tortionnaire. Aristide n'en a rien su. J'ai pris rendez-vous
à la banque, vendu quelques actions que j'avais mises à
mon nom et au sien. Une assurance vie en quelque sorte,
que j'offrais à Luc en échange d'un bonheur artificiel.
Nous irions chercher un enfant à l'orphelinat, une fille
qu'il devrait adopter. Nul n'en saurait rien, surtout pas
Aristide. Juste lui, Rose, moi et Prudence. Je lui ai même
fait signer un contrat, l'obligeant à reconnaître et à élever cet enfant. J'ai convaincu Rose facilement, elle-même
orpheline, que seule Marnie pouvait ramener Luc à Glass.
Un enfant, ce jouet vivant auquel on s'attache vite, cette
preuve que tout était encore possible, lui a rendu ses sourires des jours heureux. Nous sommes allées à l'orphelinat,
Rose, Prudence et moi. Nous avons rempli toutes sortes
de documents, j'ai dû faire intervenir un juge avec lequel
j'avais flirté avant Aristide pour accélérer la procédure, il
nous fallait cet enfant au plus vite. Marnie est apparue
avec ses taches de rousseur et ses yeux qui dévoraient déjà
le monde. Nous l'enlevions à ses frères et sœurs d'infor-
tune qui ne seraient pas tous adoptés. Ainsi va le monde.
La mère supérieure m'a demandé d'en prendre soin, et
nous avons toutes répondu oui d'une seule voix, même
Prudence. J'ai installé Rose et Marnie sur le Continent
pendant une petite année pour tromper l'Île et Aristide.
Je n'aurais jamais pu imaginer que Luc n'accepterait pas
Marnie. Et pourtant il a essayé de l'aimer, autant qu'il a
pu. Qu'elle soit orpheline lui rappelait sans doute qu'elle
n'était pas de lui. Je dois m'arrêter d'écrire, mon cœur bat
trop fort et me renvoie aux coups d'Aristide. J'étouffe, j'ai
besoin de marcher le long des falaises. Et je dois songer
à brûler tout ce que j'ai écrit depuis le début.

Marnie

J'ouvre les rideaux de sa chambre. Le soleil se déverse comme un fleuve que plus rien n'arrête. Un grand lit vide que Prudence s'évertue à border tous les jours, comme si maman y dormait encore. Elle est morte juste avant papa. Et moi, je n'ai pas accepté qu'elle s'en aille ainsi, tandis que nous dormions tous. Je suis venue à toute heure du jour et de la nuit. Je lui parlais dans le noir. J'allumais la lampe de chevet pour mieux imaginer son visage pâle, ces vilains cernes où se nichait parfois une larme. Je lui apportais de l'eau, des sandwichs que j'avalais tout rond, me fichant bien des miettes et de mes baskets pleines de boue sur ses jolis draps blancs et brodés. Je sais que Prudence a continué à faire le lit à la demande de grand-mère qui m'a surprise plus d'une fois dans cette chambre après sa mort. Elle avait pour habitude de s'asseoir au bord du lit et de regarder les oreillers comme si Rose y dormait encore. J'ai même transporté la télévision dans sa chambre. Maman adorait les vieux films américains, les comédies musicales avec Fred Astaire ou Gene Kelly, le cinéma d'Alfred Hitchcock. Elle regardait en boucle *Autant en emporte le vent* ou *Sous le plus grand chapiteau du monde*, et je m'endormais contre elle, sans connaître la fin de ces films. Je m'en fichais, j'avais toute la vie pour les voir en entier. Seuls m'importaient son parfum d'église et sa peau blanche qui s'en empreignait. Je ne verrai jamais ces films, tout comme maman, partie avant papa. Je lui en veux de ne pas m'avoir emmenée. Je fais quoi, moi, sans elle ? Je prétends qu'elle existe encore, je mens à la fleuriste qui veut venir la voir, je la maintiens en vie, artificiellement dans cette chambre noire ? Toute l'Île, à part Agatha, sait bien que maman est enterrée dans le caveau de famille, avec papa et grand-père. Les habitants sont tous venus, sauf moi. Ce jour-là, je suis allée crier ma colère dans l'église de Dieu. Qui peut m'empêcher de refuser ce que les adultes prennent pour une évidence ? Et si ça me plaît de me rendre chaque jour dans cette chambre, de lui parler comme si j'attendais qu'elle me réponde ? J'ai quatorze ans, j'ai cent ans. Je les ai eues, mes réponses. Alors je me suis comportée comme une fille amoureuse de sa mère. J'ai refusé sa mort. Grand-mère est bien trop finaude pour ne pas l'avoir remarqué. Elle ne me dit rien. Elle passe parfois sa main baguée dans mes cheveux fauve. On dirait qu'elle va parler. Mais les mots restent dans sa bouche. Elle vient de se souvenir que j'ai quatorze ans. Elle ne sait pas qu'elle doit me parler comme à une adulte. Je ne l'encourage pas. J'en ai assez entendu. Je veux bien grandir, mais seulement avec Vincy. Je veux qu'il me serre fort contre lui. Le docteur Géraud n'est pas venu ici depuis la mort de Luc. Personne ne s'est soucié de mes roses orangées que je jetais, une fois fanées. Je n'avais jamais prêté attention à cette chambre, seule maman occupait toutes mes pensées. Olivia dit que c'est la plus belle de Glass. Elle en sait quelque chose, c'était la sienne, avant que les cigares d'Aristide ne l'empestent. Le parquet est chauffant l'hiver, on y marche pieds nus. Le mobilier est aussi blanc que les draps. Les tables de nuit sont en chêne. La coiffeuse abrite des peignes et des brosses en nacre, des boîtes en argent qui contiennent toutes sortes de crèmes pour être belle. De cette chambre on voit la falaise et la mer, on est dans la plus grande cabine d'un paquebot resté à quai. Et au fond de la corbeille en osier, il y a toujours ce petit flacon noir que je me décide enfin à voler. Je me coiffe avec la brosse. Je sais que Prudence va tout remettre à sa place ensuite. Je trempe mes doigts dans une crème blanche et je m'en tartine le visage. Une crème de régénessence, c'est écrit dessus. Je ne sais pas ce que ça veut dire. Maman disait « des crèmes pour être belle ». Pourtant elle n'en avait pas besoin. Même son cancer ne l'a pas rendue laide. Elle portait des foulards colorés autour de sa tête quand elle a perdu ses cheveux. J'en ai gardé quelques mèches que j'ai cachées dans ma boîte à secrets. Je regarde cette pièce lumineuse comme si le soleil avait allumé toutes les lampes, de chevet, celles posées sur la commode en rotin blanc où s'alignent une trentaine de flacons en cristal irisés par le soleil, celles de la coiffeuse et ses petites ampoules de star, celles du chandelier au plafond, cette chambre qui, pour moi, se résumait au lit. Je n'y reviendrai plus. Je dois me séparer de toi, attendre de grandir pour aimer Vincy comme tu as aimé papa. Mais tu vois, nous, on est deux à s'aimer pareil, même si c'est encore trop tôt. Même si je ne sais pas encore à quoi ressemble l'amour. Je sais bien que papa ne t'aimait pas. Enfin pas comme toi tu l'aimais. Je t'ai souvent entendue derrière les portes quand tu buvais le thé avec grand-mère. Quand tu pleurais, j'en faisais autant, même si je ne comprenais pas tout. Je savais ton amour unique, absolu, rien ne pouvait l'arrêter, même un barrage qui s'effondre et laisse l'eau inonder les champs. Toi, aussi pure que toute cette collection de cristal dans ta chambre. Je sais aussi combien tu m'as adorée, moi qui n'étais même pas ta fille. Moi, la bâtarde qui sait tout.

Olivia

Cette longue balade m'a fait un bien fou. J'aime fouler cette terre qui est mienne. Je pourrais avancer les yeux fermés, j'en connais chaque recoin, même si je ne peux plus pratiquer certains chemins. Mes battements de cœur se sont calmés, je peux revenir au journal avant de le détruire. J'ai demandé à Prudence qu'on me laisse tranquille.

Nous avions tout prévu en rentrant de l'orphelinat. Un berceau rehaussé de dentelles blanches et cousues à la main, un coin douillet dans la chambre de Rose, près du lit, loin du verre de la façade. Trop de lumière pour la petite. Nous avions tout prévu, sauf que Luc ne viendrait pas. Je pensais amèrement à ce contrat que je lui avais fait signer, juste un papier à flamber comme ce journal. Il est apparu un soir, tel un fantôme derrière le halo des lumières du dehors. Il était soûl. Il avait garé son maudit cabriolet près des falaises. Rose est descendue avec Marnie dans ses bras, âgée de trois mois, Rose hésitante sur la dernière marche, comme si l'élan venait à lui manquer. Aristide a refusé de l'accueillir et s'est enfermé dans la bibliothèque avec le carafon de whisky. Je me suis rapprochée de Rose, et Prudence nous a rejointes. Nous lui faisions face, debout sur cette dernière marche que Rose refusait de descendre. Luc s'est avancé, contraint par nos regards méfiants. Il s'est approché de Rose et de sa fille. Rose, une fois de plus, a rompu la glace. Elle a tendu la petite pour qu'il la prenne à son tour.

— Elle m'a souri, a dit mon ivrogne de fils.

Je n'étais pas plus rassurée que Luc qui s'est défait du paquet trop encombrant pour lui.

— Tu restes ? a voulu savoir Rose.

Et Luc a hoché la tête, trop soûl pour reprendre le volant de son cabriolet, à se demander par quel miracle il était parvenu jusqu'à nous. Celui de sa fille peut-être. Le lendemain, nous avons eu une conversation houleuse. Je savais comme lui qu'il ne reviendrait pas définitivement à Glass. Qu'on devrait tous s'habituer à ses disparitions, surtout Rose et Marnie. J'avais décidé de lui donner de l'argent chaque fois qu'il viendrait, ce qui l'obligerait à séjourner plus souvent ici. Pour Aristide, Luc était le père, jamais il n'aurait imaginé le contraire, le reste n'avait pas d'importance. Je le laissais travailler à la bibliothèque, sur de nouvelles constructions qui nous éloignaient davantage ; je ne m'y intéressais plus. Luc avait dorénavant sa maison sur le port du Continent et, tant que nous resterions dans l'Île, je me fichais bien des femmes qui franchiraient le seuil de sa chambre, à condition qu'il n'en ramène aucune à Glass. Ce qu'il n'a jamais fait. Nous savions tous que seule Rose élèverait la petite. Luc, assis dans le fauteuil, regardait autour de lui, comme s'il cherchait une issue à notre bavardage. Ses yeux revenaient à moi, sa bouche restait muette. Je ne l'avais jamais connu bavard, encore moins dans ce genre de conversation où tout se règle en argent comptant. Comment en étions-nous arrivés là, pareils à deux associés échangeant leurs points de vue ? Luc acquiesçait à tout, sa vie était en jeu. Rien ne semblait l'atteindre, même à jeun. Sa chemise blanche ouverte, son jean troué, ses mocassins en cuir, tout m'agaçait. Il portait au poignet droit une montre hors de prix qu'il avait gagnée au casino et des bracelets en cuir et en argent qui remontaient au poignet gauche. Il respirait l'aisance de ceux qui ignorent tout du monde. Il s'est quand même servi un scotch à dix heures du matin et l'a bu en deux gorgées tout en me fixant. Cause toujours, disait chaque centimètre carré de sa peau hâlée.

— Je resterai une semaine, a-t-il fini par dire, le temps de m'habituer à Marnie.

Je n'ai jamais souhaité la mort de qui que ce soit, à part celle évidemment de ce cher Aristide. « Une semaine pour m'habituer à Marnie. » Je n'en revenais pas. Je lui aurais bien craché au visage, que Dieu me pardonne. J'ai préféré lui remplir son verre et noyer notre conversation.

Géraud

Ce métier de médecin me tue. Je devrais former un jeune du Continent comme Ézéchiel l'a fait avec moi et me reposer davantage. Je dors peu, depuis que je suis gosse. Mais en vieillissant, je sens le poids de l'âge alourdir mon dos. J'ai souvent des sciatiques que je soigne par la morphine. Et je reprends la route, à pied, en voiture, pour mieux guérir les malades qui m'appellent. Je devrais aussi trouver une femme, mais pas une seule ne m'attire. À vrai dire, je ne suis pas doué pour la conversation. La plupart d'entre elles sont mariées et je ne veux pas d'embrouilles. En plus, une épouse ne veut qu'une chose, vous mettre dans son lit. La causette, elle s'en fiche bien. J'ai connu quelques célibataires sur le Continent qui m'ouvraient leur porte en sous-vêtements. Je ne suis pas de bois, j'ai posé ma sacoche sur la première chaise et je les ai suivies jusqu'à leur chambre. J'ai même fréquenté une putain, Lola, à qui je confiais mes tourments. J'y prenais davantage de plaisir qu'avec Côme. Payer vous absout de tout, à condition d'en avoir les moyens. J'ai un peu de ventre malgré tous ces kilomètres à pied. Je mange souvent à n'importe quelle heure et je ne suis pas contre une bonne bouteille de vin. Il y a bien la fleuriste qui m'a montré ses seins, alors que je

la soignais d'une angine blanche. J'en étais tout retourné.
Pas farouche, ni mariée. Je l'ai revue hier, elle toussotait
et s'inquiétait d'avoir attrapé froid. Je l'ai rassurée, elle
n'avait rien. La fleuriste m'a offert un verre de vin rouge,
du bon, et nous avons fini la bouteille. Je lui ai raconté
mon enfance avec Ézéchiel, elle m'écoutait plutôt avec son
regard. Quand elle a ouvert la deuxième bouteille, j'aurais
dû m'enfuir, mais la gitane et ses châles ont dansé sous
mes yeux écarquillés. Ma tête dodelinait, mon pied battait
la cadence. J'avais le tournis. Agatha aussi, elle a atterri sur
mes genoux. Je n'ai eu qu'à me pencher pour l'embrasser.
Sa bouche avait le goût du raisin et des champs à ciel
ouvert. Ses lèvres parfumées ont aspiré les miennes. J'ai
saisi sa main qui m'emmenait ailleurs, une petite pièce
où le lit trônait comme un échafaud. Elle s'est déshabil-
lée en soulevant sa robe ; elle ne portait rien en dessous.
Pour moi, c'est plus compliqué. La ceinture qui tarde à
s'ouvrir, les lacets de chaussures à dénouer, les boutons de
chemise à défaire, les chaussettes trouées que je n'aurais
pas dû mettre ce soir-là. Nous nous sommes allongés l'un
sur l'autre. Je ne connais rien de plus apaisant. Et tant
pis pour mon ventre et nos vingt ans de différence, ils
ont vite disparu sous sa chair légèrement hâlée que j'ai
caressée, puis saisie à pleines mains tellement j'étais excité.
J'ai voulu retourner au salon où j'avais laissé ma sacoche,
mais elle m'a dit que ce serait mieux sans préservatif. Je
ne risquais rien, elle portait un diaphragme. J'avoue que
dans l'excitation je me passerais bien de cette étape. Elle
a tendance à me faire perdre mes moyens. La fleuriste
était convaincante et j'avais hâte d'être en elle. J'en oubliais
mes patients, ma sacoche et tous ces chemins à travers les
champs et le long de la falaise. Je chassais les Mortemer
de mes pensées. Le vin m'avait enivré et je profitais de ce
moment. Un chat a surgi à cet instant sur le dos d'Agatha

et a bien failli m'avoir. Penché sur l'épaule de la fleuriste il essayait d'attraper mon visage avec sa patte, comme si j'étais une sorte de baballe. La dompteuse l'a chassé d'une main, tandis qu'elle prenait ma bouche pour jouer avec. Je n'ai jamais compris pourquoi mon père adoptif n'avait jamais fréquenté de femmes. J'ai continué ce mouvement lent des corps, sans penser au lendemain. Je ne saurais l'exprimer exactement, mais il y a chez la fleuriste un air absent qui m'inquiète un peu. Elle planterait soudain un couteau de cuisine dans mon ventre mou que je n'en serais pas surpris. J'ai préféré fermer les yeux au moment de grâce. Et je crois même que j'ai crié fort, comme si on venait de m'arracher une dent.

Marnie

Autant tout dire. Prudence est vieille fille. Elle n'a jamais eu d'enfant. J'ai inventé Jane. Aveugle, comme je l'ai été avant d'écouter aux portes. Blonde, comme j'aurais voulu l'être. Souriante, comme Rose ou Luc. Je ressens tout. Je découvre les secrets comme on ouvre une porte. Pas besoin de clé, je lis les visages comme des livres ouverts. Jane a toujours été là au moment opportun. Quand Vincy m'a demandé d'aller avec lui sur le Continent, la première fois. Quand je me promène seule sur le chemin qui descend à l'école. Quand maman est morte et que je devais crier tout ce que j'avais sur le cœur. En classe, Jane a été ma meilleure et ma seule amie. J'ai toujours veillé à ce que sa place soit libre à côté de moi. Je n'avais pas envie qu'une de ces vilaines petites blondes prennent sa chaise. Je lui parlais quand j'étais seule allongée dans l'herbe, ou quand j'allais me baigner nue dans la crique. Je sais que grand-mère m'a observée derrière un arbre. Je faisais la planche, je ne voyais qu'elle. Le chemin était bien trop raide pour qu'elle me rejoigne. Personne ne m'a entendue parler à Jane. Je ne suis pas folle, mais singulière. Pas un seul fermier non plus ne m'a traitée de bâtarde. Ce secret-là est bien gardé. Je me fiche bien de savoir d'où je viens.

Je le sais, d'un orphelinat, tout comme Géraud Delorme. Les deux orphelins de l'Île. C'est pour ça que je garde son secret et que je ne dirai rien à quiconque. Mes seuls et vrais parents sont morts tous deux, enfin réunis pour toujours l'un près de l'autre. Je m'appelle Marnie à cause d'un film. Je suis une poussière de rien du tout dans l'univers. J'imagine une blonde aveugle pour me tenir compagnie, je supplie maman de rester encore un peu. Ce n'est pas méchant. Je n'ai tué personne. Certes, j'ai bien failli avec Vincy. Mais je ne savais pas trop comment l'aborder, et Jane ne m'aidait pas vraiment. C'est le seul garçon aux yeux bleus que je connais. Je n'ai plus besoin de toi, Jane. Et je me suis approchée des falaises bien avant que tu existes. Dès que j'ai su marcher. Le vide m'attirait. Sans Prudence et Rose, j'aurais sauté plus d'une fois. J'étais sûre de voler. Je m'approchais du bord les yeux fermés, aussi aveugle que toi. Le vent, mon copain, me poussait, mais il y avait toujours un bras pour m'empêcher de sauter. Même Olivia s'est jetée sur moi, une fois, comme on attrape le ballon dans un match.

— Cette petite nous en fera voir.

En fait, dès que j'ai grandi un peu, j'ai compris que je ne volerais jamais. Mais j'adore m'asseoir au bord du vide et laisser mes allumettes mener la cadence. Je suis la seule sur l'Île à pouvoir m'en approcher de si près. Je fais peur aux gens qui me croisent le long des falaises et aimeraient me voir comme eux à distance raisonnable. Je contrôle la force du vent, marche sur un seul pied, la terre a beau s'effriter, je ne crains rien. J'aime le vide comme une barbe à papa. Je suis curieuse des hauteurs et très attachée à Glass. Je *suis* le vertige des falaises. Il est probable que je reste ici toute ma vie avec Vincy. Bien sûr, on fera des voyages à Zanzibar rien que pour le nom, et à Palm Beach où les maisons de verre fleurissent comme les fleurs sauvages sur l'Île. Et dans des tas d'endroits dont j'ignore même l'existence. Mais il me manquera toujours ce verre immense et vertigineux, ces gros boulons gris comme un jeu de Meccano et ce squelette en acier qui me protège de tout. Quand l'alpiniste vient nettoyer notre maison, je m'assois dans l'herbe avec une bouteille d'eau et deux carrés de chocolat comme si j'allais au cinéma, où je n'ai jamais mis les pieds. Je le regarde glisser le long de sa corde, nettoyer le verre avec sa grande raclette. J'applaudis. J'aurais bien essayé, mais grand-mère est formelle, pas question de descendre en rappel à côté du monsieur.

Olivia

On n'attendait plus Luc. Il venait quand il en avait
envie et restait autant qu'il le souhaitait. La petite a
quand même grandi avec son père. Elle acceptait tous
ses cadeaux, nombreux, riait de bon cœur parfois, quand
il portait deux chaussettes de couleur différente, ou avait
mal boutonné sa chemise, ou se trompait de taille dans
le choix des vêtements que la petite ou Rose de toute
façon ne porterait pas à Glass. Marnie aimait bien rester
toute une journée sur la plage avec ses parents et jouait
toute seule tandis qu'ils allaient se baigner ensemble. Les
orages sont revenus sur l'Île et Rose est tombée gravement
malade. Bien sûr, Luc n'était pas là. Le docteur Delorme
et Rose ont disparu dans l'hélicoptère et il n'a pas fallu
longtemps pour avoir des nouvelles, plus mauvaises qu'on
ne pouvait l'envisager. Comment dire l'indicible à la
petite, que sa mère en avait pour quelques mois tout au
plus ? C'est Rose qui s'en est chargée en gardant Marnie
plusieurs jours dans sa chambre. Elles se sont gavées de
comédies sentimentales et musicales. Prudence montait les
plateaux, Géraud venait chaque jour prendre des nouvelles
et l'endormait à la morphine pour soulager ses douleurs.
Marnie se glissait sous les draps tout habillée, ni Prudence,

ni moi ne songions à lui demander d'ôter ses affreuses baskets pleines de terre. Il y eut cet incident le jour où Luc décida enfin de se montrer. Prudence refusa d'ouvrir la porte. Elle ne comprenait pas qu'on puisse être aussi insouciant et monstrueux à la fois. J'ai dû élever la voix, rappeler à Prudence que mon fils était chez lui, mais mes yeux, je l'avoue, disaient le contraire. Je me sentais lasse. J'avais mis au monde un être insensible qui défiait ma patience et ses limites. Prudence à regret ouvrit la porte et n'adressa plus la parole à Luc. Le mari était en pleine forme. Il revenait d'un long voyage sur l'île Maurice qui lui donnait le teint du parfait séducteur qu'il a toujours été. Il grimpa les marches avec ses cadeaux, nous n'eûmes pas le temps de le prévenir combien sa femme avait maigri et portait des foulards bigarrés pour cacher son crâne chauve. Marnie se laissa hisser dans ses bras, elle venait d'avoir treize ans. Il retira sa veste, déposa un baiser sur le front de Rose qui enjoignit sa fille de me rejoindre, elle devait « parler à papa ». Et quand Luc fut surpris de ne pas voir Aristide, il fallut bien lui dire qu'il nous avait quittées d'un arrêt du cœur. Il se servit un grand whisky « pour fêter tout ça ». J'en tombai sur mon fauteuil, mais je vis bien que tout le bronzage s'était retiré d'un coup sur son visage et qu'il n'y avait rien à fêter, ni la mort de son père, ni celle prochaine de Rose qui lui avait tout dit dans la chambre. Luc venait juste de récolter ce qu'il avait semé. Je crois même me souvenir que personne n'a ouvert ses cadeaux ce soir-là, et qu'ils restèrent ainsi, dans leur papier gris cerné d'un ruban vert vif, entassés dans la chambre de Rose jusqu'à sa mort. Prudence les a jetés ensuite sans que nul ne les réclame. Je demandai à Prudence de nous préparer un dîner dans la salle à manger et de nous cuisiner un rôti de bœuf que nous prendrions tous ensemble à la lueur des chandelles. Je suis montée voir Rose qui a accepté de nous rejoindre le temps de ressembler à quelque chose. J'ai prié Luc de rester pour dîner et je lui ai promis son argent au réveil. Prudence est apparue dans mon dos. Je l'ai renvoyée d'un geste, je souhaitais parler à mon fils. Je pensais le convaincre de rester pour Marnie qui allait bientôt perdre sa mère. Mais il avait d'autres voyages en vue, il venait de rencontrer quelqu'un, il n'avait rien promis de tel en signant le contrat. Je n'ai pas su quoi répondre. L'orage l'a fait à ma place. Luc s'est levé d'un bond pour refermer la capote de son cabriolet et en quelques secondes il fut comme plongé dans l'eau. Prudence passa devant lui mais fit mine de ne pas le voir. Je dus l'aider à retirer à même le sol tous ses vêtements, tandis que Prudence apportait des serviettes qu'elle fit tomber à nos pieds, exprès. Je lui frottai la tête, comme en ce bon vieux temps où il n'était encore qu'un enfant. Un instant, j'avais retrouvé des gestes de mère. Je ne savais pas qu'il s'agissait des derniers.

Prudence

Je suis au service des Mortemer depuis plus de trente ans. J'ai tout sacrifié pour cette famille qui est devenue mienne. J'ai vécu avec eux en Afrique et en Californie. J'ai suivi monsieur à New York, Paris, Madrid, Londres, et d'autres villes où les luxueux hôtels se ressemblent tous. Monsieur était un architecte très demandé pour ses constructions extravagantes et j'assurais son secrétariat. Je prenais note des exigences de ses clients, puis des siennes. Je parle cinq langues. L'anglais, l'espagnol, le russe, le japonais et le français. Toutes mes études ont été payées par monsieur, toujours très généreux dès qu'il s'agissait de lui. J'ai dû lui rendre d'autres services dont je me serais bien passée, mais mon salaire était si élevé que je n'ai pas osé lui dire non. J'aurais dû. Il m'aurait sans doute renvoyée et respectée en même temps. Monsieur, en vérité, a toujours eu ce problème. Je l'ai découvert lors de ces voyages lointains. J'en ignore la cause, mais il aimait cogner sur plus faible que lui. Je lui servais de chauffeur dans certains quartiers des villes que nous traversions, loin des palaces et des restaurants chic. Je le laissais dans des ruelles, le temps qu'il se soulage, montant le volume de la musique pour ne rien entendre.

Une secrétaire parfaite qui ne posait jamais de question et se contentait de lui montrer l'accoudoir sous lequel il y avait des compresses et de la Bétadine pour éviter les infections. Jamais monsieur n'a eu un geste déplacé envers moi. Et je suis restée. Madame, c'est autre chose. Une belle âme, comme on dit. Je l'ai assistée dans tous ses déplacements en Californie et à Zanzibar. Elle surveillait les chantiers de son mari. De l'allure, de la classe, du cœur. Toujours souriante, aimable, connaissant les plans et l'exigence de son mari au trait près. La vie en Californie et celle à Zanzibar furent les plus belles années que j'aie vécues. Monsieur évitait les ruelles, madame m'entraînait dans toutes sortes de fêtes où se fréquentaient des gens comme eux. J'ai même eu des petites aventures que j'ai gardées pour moi. Il n'était pas question de perdre ma place pour ça. Je sais que je ne suis pas belle. Je n'attire les hommes que lorsqu'ils sont soûls. Je m'en suis fait une raison. Ensuite j'ai suivi la construction de Glass à laquelle monsieur tenait beaucoup. Je suis venue sur l'Île, je savais à quoi m'attendre. Cela me convient très bien. En vieillissant, on préfère laisser le bruit des villes derrière soi. Mais les mauvaises manières de monsieur ont réapparu une fois sur l'Île. Et quand j'ai su que madame lui servait d'exutoire, je ne l'ai pas supporté. Nous n'étions plus dans la ruelle d'une capitale inconnue et je ne pouvais pas fermer les yeux. Je mesurais à quel point je m'étais attachée à madame. Nous n'étions ni parentes, ni amies, mais je la fréquentais depuis si longtemps. Et cette force incroyable dont elle faisait usage ne pouvait que renforcer mon respect. À ce stade, les compresses et l'alcool ne suffiraient plus. D'assistante, je suis devenue intendante, cuisinière, et parfois infirmière. Et puis il y avait Marnie courant dans toute la maison, ses oreilles affûtées écoutant aux portes, ou se cachant sous la table quand elle était petite. Rose, si belle, échouée dans cette maison comme un poisson hors de l'eau. Et Luc que j'ai élevé comme mon propre enfant. Il m'a fallu du temps pour comprendre que je n'étais pas meilleure mère que madame. Je suivais le docteur Delorme, je découvrais avec horreur ce que monsieur infligeait à sa femme. Je me suis même demandé s'il n'était pas revenu sur l'Île rien que pour ça. Loin de toute civilisation, dans le calme le plus absolu, ayant pensé à tout, même à cette prison de verre et d'acier où il enfermait madame pour mieux la frapper dès que l'envie l'en démangeait. J'épiais Luc quand il venait réclamer son argent et que monsieur lui tendait un chèque dont le montant m'horrifiait. Puis madame a pris le relais après la mort de monsieur. J'étais bien contente qu'il meure, lui, et ses ruelles. Nous savions toutes que Luc ne travaillerait jamais. Peut-être même a-t-il fait chanter son père. Je l'en croyais capable. Monsieur n'était pas du genre à distribuer son argent comme ça. J'ai fini par m'attacher à Rose, une femme si sensible. Qui ne prendrait pas le parti d'une amoureuse abandonnée et malade ? Marnie, moins. Je n'aime pas trop les enfants. Certes la fillette est intelligente et curieuse. Je l'ai vue se tenir en équilibre sur une jambe au bord des falaises. Petite, elle s'en approchait si près qu'elle nous fichait des sueurs froides. J'avoue que j'aurais pu tuer monsieur pour ce qu'il faisait subir à madame. Je n'arrive pas à croire que le destin s'en soit chargé à ma place et qu'il soit mort paisiblement en buvant son thé. Mais je ne pouvais pas rester indifférente au sort du fils de monsieur. Je n'avais jamais rencontré un être aussi égoïste. Un vrai parasite. Et tout cet argent qu'il dépensait sans compter dans les casinos ou dans ses cabriolets sans se soucier du bien-être de sa fille et du cancer de sa femme. Je l'ai même vu sur le Continent au bras d'une putain. Les hommes sont

des porcs. Surtout Luc. Je n'y avais pas réfléchi avant
ce soir-là. C'est en servant le rôti que j'y ai songé. Une
viande ligotée et inerte, Luc ne méritait pas mieux. J'ai
attendu qu'ils soient tous montés se coucher à cause de
l'orage et de l'électricité coupée. Je me suis assuré que Luc
fumait sa cigarette du soir sous le toit, malgré le mauvais temps. Je connaissais toutes ses vilaines habitudes. Je
lui ai servi un whisky dans lequel j'avais écrasé quelques
comprimés d'Imovane empruntés à madame les nuits où
je dors si mal. Je l'ai laissé parler de lui, les hommes
adorent ça. Puis il s'est affaissé le long de la paroi, le
verre à la main que j'ai aussitôt récupéré. Je l'ai tiré par
la taille jusqu'au cabriolet et je l'ai soulevé pour l'asseoir à
la place du conducteur. Je porte parfois des cartons bien
plus lourds dans cette maison trop grande. J'ai dû m'y
reprendre à plusieurs fois, l'habitacle de ces cabriolets est
si étroit. J'ai desserré le frein à main et j'ai fait glisser
la voiture sur une centaine de mètres. Le temps, cette
nuit-là, m'a facilité la tâche. À hauteur des falaises, il y
a une légère pente. Je n'ai eu qu'à pousser le cabriolet.
Je suis retournée à la bibliothèque juste à temps pour
entendre l'explosion. Les flammes des bougies faisaient
trembler les quelques tasses que j'ai empilées sur un plateau, ainsi que le verre de whisky, lavé longuement en
premier. Je ne ressens rien curieusement aujourd'hui. Je
n'ai ni regrets, ni remords. Bien sûr, j'ai tué le fils de
mes patrons, mais isolés comme nous le sommes à Glass,
lui ôter la vie a rendu la nôtre plus agréable. Et puis
Rose n'a rien su, ce qui aurait tout changé, bien sûr. Je
n'ai pas non plus l'envie de me confier. À qui d'ailleurs ?
Je dois dire que je ne fréquente guère les églises, tout
comme Marnie. Quand on a connu Aristide et Luc de
Mortemer, on ne croit pas en Dieu. Et madame a eu
assez de chagrin comme ça. Elle a enduré tout ce qu'une

mère peut supporter pour un fils qui ne lui a causé que des soucis. Il était temps que tout s'arrête. Et jamais je ne pardonnerai à ce salaud de s'être conduit ainsi avec Rose. Nous allons vivre dorénavant entre femmes dans cette maison, et c'est bien mieux ainsi.

Marnie

Je ne sais pas d'où vient mon envie d'écouter aux portes. Parce que je suis curieuse sans doute. J'ai entendu parfois des choses agréables sur moi. Rose me prenait pour un ange qui cachait ses ailes comme son sourire. Olivia me croit finaude pour mon âge et s'est profondément attachée à moi. L'orphelinat d'où je viens ne change rien. Je me fiche bien des parents qui m'ont abandonnée là-bas. Me voici doublement orpheline, mais je veux qu'on me parle encore de Rose, même morte. Et je continuerai de coller mon oreille meurtrie et rougie contre toutes les portes de cette maison de verre et d'acier, même s'il n'y a plus rien à entendre. J'ai toujours été là où il ne faut pas. Je tiens les baskets à la main, mes pieds nus ne font pas de bruit, pas un mortel ne m'entend. Mon œil vissé au trou de la serrure, j'ai vu le docteur Géraud verser le flacon dans la théière de grand-père. J'étais trop loin pour lire l'étiquette, mais j'ai compris aussitôt que grand-père allait mourir. Je ne vois vraiment pas ce qu'il aurait pu ajouter d'autre, à part ce poison. J'ai reculé, et sans faire exprès, j'ai écrasé le pied de grand-mère qui m'a demandé où diable j'allais. J'ai ri et je l'ai entraînée dehors pour une promenade le long des falaises. Elle avait bien parlé du diable, je ne tenais pas à ce qu'elle le voie terrassé dans sa tasse de thé. Pendant ces années, j'ai eu beaucoup de mal à comprendre ce que j'avais entendu à travers la porte de sa chambre. Tous ces meubles renversés, ces cris, j'ai cru un instant qu'ils jouaient. Un jeu que personne ne m'avait enseigné et que je ne tenais absolument pas à apprendre. Je n'avais jamais imaginé mon grand-père frappant Olivia. Par la serrure je l'observais user de ses poings, de la ceinture de son pantalon. Puis je devenais Jane, je me laissais glisser contre le mur, les mains sur mes oreilles, je m'endormais presque. Je le voyais quitter la pièce et claquer la porte derrière lui. Je restais plantée là, comme une falaise, mais il ne me voyait pas. Son visage rougeâtre semblait sur le point de se fissurer, de vilaines veines battaient sur son front toutes gonflées du sang de sa colère. Grand-mère couchée sur le lit semblait morte. Puis soudain, elle se débattait, comme si elle venait de retrouver son souffle, se protégeant le visage, levant son poing serré comme une victoire. Je n'ai jamais osé entrer, moi qui n'ai peur de rien, je me sentais trop démunie face à autant de détresse. Prudence m'ordonnait de déguerpir, Géraud la suivait de près avec sa grosse sacoche au cuir blanchi. Le docteur la regardait comme la femme pour laquelle il était prêt à tout. Et je sais qu'il est difficile de résister à Olivia. Maman me parlant de sa force, rien ne semblait l'atteindre, ni les coups, ni les orages, ni même la maladie qui n'avait jamais osé s'approcher d'elle. Elle vivrait comme un arbre centenaire qui étalerait crânement ses branches fourchues et ses feuilles vertes luisantes de soleil ou de pluie. Je sais qu'elle a aimé son fils et a tout fait pour qu'il profite à son tour de sa force de vivre. Mais quelle drôle d'idée de lui avoir fait signer un contrat pour bonne conduite, lui qui a toujours aimé la vitesse. J'étais sous la table de la bibliothèque, couchée sur le tapis persan, et je n'en revenais pas. Je ne savais pas qu'on pouvait faire tenir autant de zéros sur un chèque. Ni que Luc allait le perdre aussi vite dans des lieux où je n'ai pas l'âge de mettre les pieds. Grand-mère lui avait offert un second toit sans que grand-père soit au courant. En retour, mon père n'a tenu aucun de ses engagements. Il en était incapable. Sur les photos que maman gardait toujours près d'elle dans sa table de nuit, en noir et blanc ou en couleurs, il sourit toujours, comme heureux d'être rangé dans un tiroir, les yeux cachés derrière des lunettes de soleil. Des images à découper, ce que j'ai fait après son départ. Je crois que seule maman le comprenait. C'est pour cela qu'il revenait malgré tout, malgré moi. Je l'ai découvert dans une lettre où maman s'adressait à moi du monde des morts. Une enveloppe à mon nom, qui m'attendait sous les photographies, dans le tiroir de sa table de nuit.

Rose

« Marnie, tu as toujours voulu qu'on te parle en adulte et nous sommes restés sourds à tes requêtes. Sans doute chacun de nous essayait de te protéger en te laissant le temps de grandir. On est insouciant à ton âge. Enfin, dans les familles autres que la nôtre. J'ai dû écrire plusieurs brouillons avant de me décider à glisser la lettre dans l'enveloppe, car tout ce que j'ai à te dire, j'aurais dû le faire bien avant. Je regrette juste de ne plus avoir assez de force pour te le dire de vive voix. J'ai pris soin de rédiger cette lettre dès que je te savais hors de Glass. Il m'a fallu un mois pour arriver à terme, avec l'aide de Prudence, par ailleurs chargée de te la remettre. Je crains trop qu'Olivia ne la découvre et ne la détruise après l'avoir lue. Aimer ton père m'a consumée toute une vie. Le cancer a tout remis en perspective. J'ai été une enfant plutôt indifférente au sort des autres, jusqu'à ce que je comprenne que mes parents ne s'aimaient pas. Longtemps j'ai pensé qu'il était normal de prendre nos repas en silence jusqu'à ce que je découvre que chez mes amies l'exubérance et la vivacité des conversations m'empêchaient presque de rentrer chez moi. Je faisais plusieurs fois le tour de notre maison pour me décider enfin à ouvrir la porte. Je veux que tu saches que ton père et moi nous nous sommes follement aimés. À notre manière, loin des traditions. L'amour est ce que tu as de plus précieux à offrir. Le reste n'a pas vraiment d'importance, à part la maladie, bien sûr, qui réclame beaucoup d'énergie et d'espoir, même quand il n'y en a plus. J'ai souffert aussi avec Luc, signe que notre amour était bien vivant, au-delà des arrangements comme Olivia les entend. J'ai pleuré à m'en étouffer, j'ai pensé mettre fin à mes jours, mais je n'ai jamais cessé de penser à lui. L'amour vrai pardonne tout. Beaucoup de couples se séparent à cause d'un adultère, ou parce qu'ils n'éprouvent plus de désir l'un envers l'autre. Ton père m'a trompée plusieurs fois. Moi aussi, sur le Continent, quand je tenais encore ma boutique. Nous n'en parlions jamais. J'étais *La Comtesse aux pieds nus*, tu sais, ce film que nous avons regardé ensemble, une femme prête à tout pour satisfaire l'homme qu'elle aime, mal jugée pour ses actes. On me dit naïve, je ne l'ai jamais été. Pure, oui. Un amour absolu qui devait prendre parfois les chemins de traverse pour atteindre son but, sans me soucier de ce que pouvaient penser Olivia, Aristide ou Prudence. Je sais qu'Olivia n'a pas su élever Luc et je ne lui reproche rien. Sa vie avec ton grand-père a été un enfer, elle a juste éloigné son fils afin qu'il ne subisse jamais le sort qui était le sien. J'ai aimé ces années à Glass après l'inondation. C'est Olivia qui m'a demandé de vivre dans cette maison de verre et d'acier. Ma présence a tout changé. Aristide, ce vieil ours, s'est retiré entre la bibliothèque et sa chambre, et ne la battait qu'occasionnellement quand il m'arrivait de m'absenter auprès de ton père ou d'Agatha. J'ai toujours admiré Olivia. Ce maintien devant l'indicible, son abnégation face à la barbarie d'Aristide m'ont émue aux larmes. Je ne lui confiais pas tout, loin de là, mais j'aimais ces longues balades que nous faisions sur tes traces. Je lui dois toi, une idée étonnante de ta grand-mère afin que Luc revienne, et nous sommes allées toutes les trois avec Prudence te chercher à l'orphelinat. Je t'ai regardée grandir mieux que je ne l'aurais fait avec ma propre fille, tu étais pour moi l'enfant de l'amour qui pouvait enfin me détacher de Luc. Je l'aimais toujours mais tu devenais essentielle, je comprenais combien nous avions besoin l'une de l'autre. Luc pouvait s'absenter sans que Glass devienne une prison de verre, pareille à celle d'Olivia, vivant sous le toit d'Aristide. J'étais libre, heureuse, et je partageais tout ce bonheur avec Olivia et toi. Il était difficile de faire parler ta grand-mère. Parfois elle me racontait des bribes de son passé en Californie ou en Afrique, puis elle s'excusait brusquement de ne pouvoir continuer. Il lui était trop pénible de se rappeler ces années où Aristide était autre, un dédoublement de personnalité comme un jumeau maléfique qui attendait son heure. Je pense que son éducation la corsetait si fort qu'elle préférait le silence aux confidences. Je la voyais bien hésiter parfois, pencher sa tête ou pincer ses lèvres pour empêcher les mots de jaillir. Nous étions si différentes l'une de l'autre, mais elle était la canne sur laquelle je m'appuyais tandis que ma belle humeur la réveillait d'un long sommeil. Les repas avec Aristide étaient stupéfiants, nous ne lui parlions que pour lui réclamer le sel ou un morceau de pain. Un peu comme au temps de mes parents, mais pour d'autres raisons bien plus graves. Je me sentais soulagée quand cet ogre nous quittait avant le dessert. Nous en profitions pour marcher des heures dans la belle campagne de l'Île. On ne pense pas au temps quand les jours filent à vive allure. J'ai profité pleinement des passages de Luc à Glass. Tu sais, ces choses dont on ne parle pas aux enfants. Tu es assez grande, je pense, pour les comprendre. L'alchimie physique entre ton père et moi était bouleversante. Nos corps étaient aimantés et sans pudeur. J'aimais me perdre en lui. Je suis émue aux larmes en t'écrivant cela. Je t'ai regardée pousser comme *L'Arbre de vie*, le film d'Edward Dmytryk avec Elizabeth Taylor, ce tronc mythique aux feuilles d'or, trouvé en toi, qui m'a donné le secret de la vie. Puis la maladie a tout balayé. Quand j'ai su qu'il me restait juste quelques mois, j'ai paniqué. Olivia et Prudence ne me quittaient plus. Elles se relayaient l'une et l'autre à mon chevet sans me laisser de répit. Olivia sortit même de sa réserve et me secoua comme un arbre à fruits. Rien ne tomba, je criai autant. J'eus droit à une gifle, une seule, qui me calma immédiatement. Olivia s'excusa puis me prit dans ses bras pour la première fois et me serra avec une force inouïe. Elle me murmura à l'oreille combien elle m'aimait, à quel point j'étais devenue sa fille. À partir de ce jour, Olivia se délivra de ses fardeaux. Elle avait envoyé Aristide en enfer. Elle aussi l'avait trompé, juste des pensées impudiques qui semblaient peser lourd sur sa conscience. Elle me racontait sa vie en Afrique et aux États-Unis, seul mon sommeil l'interrompait. Prudence m'apportait tous les soins que Géraud lui enseignait. Je m'affaiblissais et je voyais tout ce petit monde s'agiter autour de moi en vain. Je gardais des forces quand tu venais voir avec moi ces films que nous apprécions tant. Je me détachais de Luc tout en l'aimant encore. Notre folle vie était sur le point de s'éteindre, je ne tenais pas à ce qu'il me voie mourante, le crâne chauve et l'esprit embrumé. La chimio m'éreintait, je ne la supportais pas. Je prenais la main d'Olivia comme je l'aurais fait avec mon Américaine de mère. Nous avions toutes deux réussi notre transfert. Olivia m'épongeait le front avant de me quitter, m'offrait des foulards luxueux pour cacher ma tête d'œuf, surveillait mon sommeil comme toi par le passé, quand tu entrais dans notre chambre pour nous regarder dormir. J'ai toujours eu le sommeil léger, même tes pieds nus te trahissaient. Je faisais semblant de dormir, pour ne pas réveiller Luc. La vie est trop courte pour ne pas profiter de la nuit. J'ai fait pareil avec ton père et je me rassasiais de le voir si démuni dans ce repos nocturne, un guerrier abandonné à lui-même dans ces ronflements qu'il interrompait parfois pour prononcer des phrases qui n'avaient aucun sens. Je savais qu'il ne s'allongerait plus à mes côtés. Seules Olivia et toi le faisiez. Je fouillais parfois dans sa table de nuit sans y repérer l'alliance qu'il portait encore. J'enfilais à mon poignet les bracelets qu'il avait rapportés de ses voyages sans moi, ils me semblaient très colorés sur ma peau cireuse. Je n'arrivais plus à descendre l'escalier, mes forces m'abandonnaient. J'étais clouée sur ce lit que je devais garder nuit et jour. J'ai imploré Dieu qu'on en finisse, personne ne devrait achever sa vie ainsi. J'aimais quand tu attrapais le peigne en argent pour te brosser les cheveux comme la petite fille sage que tu n'as jamais été. J'aurais détesté que tu le sois. Je priais aussi pour gagner quelques jours, je n'en voulais pas davantage. Je maudissais ce cancer qui me dévorait tout entière et me laissait exsangue. J'ai supplié Géraud pour qu'il m'aide à partir. Ce bougre a refusé. Je n'ai pas osé en parler à Olivia, une fille ne demande pas cela à sa mère. Olivia prenait la place de Luc et j'observais ses mains jointes sur son ventre comme une prière muette qui n'a pas été exaucée si tu lis ma lettre. Sois toi, Marnie, n'écoute les autres que si ton instinct te l'ordonne. Tu as toujours été ainsi et bientôt tu seras femme à ton tour. Dans la lignée des Mortemer, tu poursuivras tes rêves bien après que je serai partie et Olivia aussi. Nous n'existerons plus qu'à travers toi, vivantes dans ta mémoire et heureuses de l'être. Ne juge pas ton père sur les rares souvenirs qu'il t'a laissés.

À sa façon, il t'a chérie, crois-moi. On ne met pas en cage les fauves sous risque de les voir dépérir. Les gens souvent condamnent sans essayer de comprendre. Sois tolérante et tu vivras le bel amour que je te souhaite. Tu m'as parlé un soir de ce garçon aux yeux bleus, au curieux prénom qu'on n'oublie pas. Vincy, n'est-ce pas ? Je te souhaite tout le bonheur que tu mérites hors de cette famille qui n'a pas toujours su t'entendre. Crois-moi, j'ai l'ouïe fine, je t'ai écoutée même quand tu ne disais rien. Olivia, je le sais, saura te guider après ma disparition. Et fais davantage confiance à Prudence. Sa laideur n'altère en rien les bons sentiments qu'elle te porte. Elle est juste maladroite et n'a jamais su s'y prendre avec les enfants, même avec Luc qui en abusait. Je te laisse décider du bon usage que tu feras de cette lettre. Ta mère qui t'aime plus que tout au monde. »

Olivia

J'ai marché toute cette fin d'après-midi avec Marnie. Sa main, si petite encore, n'a pas lâché la mienne. J'ai beau les orner de bagues et de crèmes, elles vieillissent avec moi. Les taches brunes y dessinent des ancres. À cette heure, en cette saison où l'été s'approche, le paysage est prodigieux. Je me souviens, en Afrique, de la lune énorme qui envahissait le ciel, de ce bleu californien comme une mer suspendue. Mais sur l'Île, rien n'est comparable à l'érosion qui noircit les falaises, au ciel qu'on jugerait peint, tellement les couleurs sont incroyables. Il m'arrive parfois de ressentir le vertige en regardant ces rouge, orange, et jaune qui s'atténuent en marchant, avant de s'évanouir pour d'autres nuances plus pâles. Je suis née sur cette Île dans une maison qu'Aristide a fait raser pour bâtir Glass. L'Île était prospère dans ma jeunesse. Les granges exploitées, les fermiers nombreux. Le Continent n'attirait personne, nous aimions ma sœur et moi courir dans les herbes hautes et cueillir des bouquets de fleurs sauvages que maman disposait dans toutes les pièces de la maison. Nous étions plus d'une trentaine à l'école et j'avais de nombreuses amies que j'ai perdues de vue ensuite. J'ai trop voyagé pour les garder. Je me demande parfois à quoi leurs vies ressemblent. Si elles se sont mariées, si leurs enfants sont parents à leur tour, si elles sont mortes, si elles ont fui l'Île comme moi. Quand je suis revenue avec Aristide, je n'ai retrouvé aucune de mes anciennes camarades. Certaines, oui, enterrées au cimetière. Et il a fallu s'occuper de l'école qui allait fermer. En fréquentant l'église et l'ancienne scierie, j'ai connu d'autres familles, les Trincier et les Orégon. Je donnais des fêtes à Glass, j'aimais recevoir et voir nos silhouettes se découper sur les parois de verre. J'ai cessé les dîners dès qu'Aristide m'a battue. Je prétextais des migraines, des vertiges ; ils se sont lassés de mes excuses. Je ne savais pas encore que Marnie allait entrer dans nos vies et tout bousculer. Le plus doux des orages, la plus formidable des tempêtes. Maintenant que Marnie est là et qu'Aristide est mort, je peux finir mes jours, heureuse, et enfin apaisée. Je n'ai pas toujours eu de chance dans ma vie mais qui en a suffisamment pour se croire à l'abri ? J'ai vécu dans d'étonnants pays où l'on s'éclaire encore à la lampe à pétrole et où les enfants vous demandent s'il y a un ciel chez vous, et des étoiles et du soleil. Je me sentais chez moi partout dans le monde, jusqu'à ce que je revienne ici. Comment aurais-je pu deviner la menace qui pesait sur moi ? Prudence a fini par me parler de l'homme dont j'ignorais tout. Elle pleurait presque. Prudence ! Quel prénom juste pour celle qui a fui la vie et que j'ai gardée pour ses qualités. Elle ne le sait pas, mais je l'ai toujours sue amoureuse d'Aristide. Et comment ne pas l'être, un homme si talentueux, imaginatif, passionné, qui a perdu ses parents dans un tragique accident sous ses yeux pendant des vacances d'été ? Un architecte qui a passé sa vie à construire des villas, des maisons, des immeubles, avec des matériaux neufs dont les coûts bas surprenaient les promoteurs. Un homme qui dans les replis de son cerveau malade déconstruisait les êtres, comme on abat des édifices entiers d'un seul coup de détonateur. Prudence, dans ma chambre d'amis, ne pouvant regarder les bleus sur mes seins ou mon ventre, me confiant ces heures passées dans la voiture à l'attendre, tandis qu'il s'acharnait sur des inconnus avant de revenir à elle, les mains écorchées qu'il soignait à l'arrière de l'automobile. Elle avait dû l'emmener une fois à l'hôpital, le nez cassé et l'arcade sourcilière ouverte. Un partenaire sans doute moins faible qu'il ne l'avait imaginé. Qui a-t-il tué sur ce bitume ? Et comment Prudence pouvait-elle rester des heures à l'attendre, en montant juste le volume de la musique pour ne pas entendre les cris ? Il fallait bien qu'elle l'aime pour le protéger ainsi. Elle m'a demandé, tout comme Géraud, de porter plainte contre lui. Comment aurais-je pu le laisser partir, menotté, pour qu'il revienne me hanter plus fortement la nuit et qu'il sorte un jour d'une prison pour me tuer, une bonne fois pour toutes ? J'ai choisi de rester sous notre toit, dans une chambre que je n'ai eu aucun mal à obtenir. Cela ne l'a jamais empêché d'y entrer pour me cogner. Mais au moins la nuit m'appartenait. J'ai sauvé ma peau. J'ai accepté d'une certaine manière qu'il me frappe encore. Il perdait en force, heureusement, ce vieux bouc. Et je finissais par ne plus souffrir de ses poings, ailleurs, sous l'eau, comme un pincement qui fait mal mais ne détruit plus. Je sais que je suis coupable de sa disparition mais je n'en éprouve aucun remords. Je me suis servie de Géraud pour verser la digitaline dans son thé. La belle affaire. Tout ce qui m'intéresse aujourd'hui tient en six lettres. Marnie. Cette petite a poussé comme du chiendent, je m'en suis à peine rendu compte. Elle me dépasse d'une tête, comme mes neveux. Je l'ai laissée faire son deuil dans la chambre de Rose, et, avec Prudence, nous avons agi comme si rien ne s'était passé. Je n'ai rien dit quand elle a refusé de nous accompagner au cimetière. Pas davantage quand elle montait ce vieux poste de télévision ou nous parlait de sa mère comme si tout continuait comme avant. Je dois lui enseigner des choses importantes de la vie. Ce n'est en rien un devoir. Bien au contraire. Elle est mon sang, mon cœur qui bat, elle est ma chair. Elle est tout ce qui me reste sur cette terre.

Manos

Je suis allé me recueillir sur le caveau des Mortemer. J'ai reçu une éducation catholique ; en Grèce on ne plaisante pas avec le Pistis. Certes je n'ai pas suivi à la lettre ce que dit la Bible. Je n'aurais pas étreint tous ces merveilleux corps d'Apollon, sinon. À quoi bon, je finirai ma vie seul, chamboulé par cette famille à qui je dois tant. Trois cent soixante jours de ma vie, et ce n'est pas fini. Je coiffe madame et Marnie maintenant, depuis que Rose est morte. C'est elle qui se chargeait d'embellir sa fille. Cette petite garce m'en a fait voir, elle m'a piqué plusieurs peignes et ciseaux que j'ai dû réclamer à la reine mère. Madame en a ri de bon cœur, Marnie n'étant pas à une bêtise près. J'ai beaucoup de mal à lisser ses cheveux roux que le vent s'amuse à nouer en un rien de temps. Marnie trépigne, elle crie comme si je lui arrachais un bras, alors que je suis la douceur même. Elle garde les mèches coupées qu'elle enferme dans une boîte. Enfin, c'est ce qu'elle dit. Il ne faut pas forcément la croire. Cette gosse est une fieffée menteuse et je la soupçonne d'harponner n'importe qui avec ses taches d'innocence. Elle est surtout la fille de Rose que je suis venu pleurer avec un bouquet de roses orangées achetées à Agatha en sortant du ferry.

Quelle tristesse de s'éteindre ainsi en emportant sous terre la lumière de Glass. Assurément Marnie s'est approprié l'endroit et je le remarque un peu plus à chaque visite. Le bijou inestimable a perdu une perle, mais il se tient toujours aussi droit. Le relais est assuré. Le décès de Luc m'a attristé, une fin qui résume assez bien toute sa vie. Je le savais inconscient, mais pas au point de repartir un soir d'orage au volant de son cabriolet.

— Ivre en plus, m'a dit Prudence.

Cette femme par contre n'a rien d'une perle. Le bijou se passera d'elle. Que Dieu me pardonne. Elle a même quelque chose d'effrayant que je ne cerne pas bien. Une sorte de veuve noire qui suit les Mortemer avec une constance placide. Elle a le don d'apparaître dans les pièces de cette maison sans qu'on l'entende. Même madame sursaute parfois. Plus d'une fois j'ai failli lâcher mes ciseaux ou mon peigne. Je la découvrais dans le miroir de la coiffeuse attendant patiemment que madame la remarque à son tour pour savoir si le menu du soir lui convenait, ou s'il fallait acheter de nouveaux vêtements pour Marnie. Comme autrefois avec Aristide, madame la congédiait d'une main sans lui répondre. C'est aussi ce qui me plaît avec la reine mère. Elle apprécie nos rendez-vous et n'aime pas qu'on les interrompe ainsi. Elle se désole en ce moment que je sois seul. Je lui rappelle que j'approche la soixantaine et que je n'ai plus l'âge de fréquenter les bars et les boîtes de nuit. Madame dit que *boîtes de nuit* est une jolie expression à défaut d'être un lieu où elle n'a jamais mis les pieds. Elle fréquentait un bal qui avait lieu le samedi près de l'embarcadère. Ce n'est certainement pas sur l'Île que je trouverais chaussure à mon pied. Tous ces fermiers rougeauds qui s'imaginent que Verdi est une marque de pâtes, non merci. Au moins, sur le Continent, ça grouille le soir de marins près du port, et de jolis garçons dans les rues en pente, près du centre. À défaut de les consommer, je les regarde. Le temps est révolu où l'on me bousculait pour mieux m'entraîner dans des coins obscurs que je me garderai bien de conter à madame. Elle a même proposé de me prendre en main et de me chercher un fiancé. J'aime bien quand madame dit *fiancé*. J'apprécie moins sa poigne, même si l'intention est louable. Je vais me retrouver avec un propriétaire terrien qui sent le bouc, très peu pour moi. Je préfère encore mon canari, mon chat et mon chien.

Géraud

Agatha ne veut plus me voir. Elle ne souhaite pas d'homme dans sa vie. Elle me l'a dit tandis que je lui achetais des fleurs. Je me fais vieux, je ne comprends plus les femmes. Je ne suis pas certain de les avoir comprises un jour. Mon père Ézéchiel s'en méfiait tant qu'il n'en a jamais connu une seule. Je finirai sur un chemin de l'Île, ma sacoche devenue trop pesante, m'écroulant d'un infarctus. Une vie où Olivia aura eu finalement le meilleur rôle. Jeunes, nous étions déjà très proches. J'étais très amoureux d'elle. Je n'ai jamais réussi à l'embrasser. J'ai pourtant essayé plusieurs fois, à l'école, au bord de la falaise, au bal de l'embarcadère. Mais il y avait toujours quelqu'un pour prendre de ses nouvelles ou des miennes, et j'avalais mon baiser. Aristide me l'a enlevée, plus fortement que la pire des tempêtes. J'ai toujours été timide sans ma besace. On se réveille un matin, la jeunesse s'est enfuie, les femmes vous ont abandonné. L'Île est devenue un album où les photos d'autrefois vous rappellent que vous auriez dû... J'aime soigner les êtres, leur donner une seconde chance, les voir sourire faiblement quand j'entre chez eux, les ramener à la vie comme on sort de l'eau le malheureux qui ne sait pas nager. Je n'ai jamais su faire

cela pour moi. Je n'ai même pas demandé à Agatha de
m'expliquer pourquoi. J'ai laissé Olivia partir avec Aristide.
Elle attachait ses longs cheveux bruns avec un crayon à
papier. Elle riait pour un rien. Elle buvait sans être ivre.
Bien sûr, le temps l'a changée. Elle rit moins, ne boit
plus, en tout cas, pas en ma présence. Elle n'attache plus
ses longs cheveux bruns, ils sont devenus gris argenté.
Quand Prudence m'a appelé la première fois, je n'imaginais pas ce qui m'attendait. Elle avait refusé d'en parler
par téléphone. Je pensais à une chute dans l'escalier, ou
un malaise. J'ai dû m'asseoir, tellement la nouvelle m'a
sonné. Aristide la frappait. Ses bras étaient couverts de
bleus, un vilain hématome de la taille d'une balle de tennis
gonflait l'intérieur de sa cuisse. Prudence a quitté la pièce
et j'observais parfois Olivia tout en la soignant. Elle avait
l'air ailleurs et se taisait. Un jour, tandis que j'appliquais
un bandage compressif, Olivia m'a dit :
— Tu as toujours été un sentimental, Géraud.
J'ai souri. Elle n'irait pas voir les gendarmes pour ne
pas aggraver la situation. Elle avait obtenu une chambre
d'amis sous la menace de tout révéler. Et ce salaud a
continué, comme un sculpteur jamais satisfait de la forme
qu'il veut donner. J'ai guéri Olivia à la surface de sa peau.
Je n'ai pas sauvé Rose, seul Dieu pouvait. J'avais peur
qu'Aristide ne provoque une lésion plus grave chez Olivia,
même s'il évitait chaque fois le visage. Cela heureusement
n'a jamais eu lieu. Olivia était incapable de se plaindre
vraiment, encore moins devant l'évidence. Puis Aristide
a cessé de la battre. Je n'ai jamais su comment Olivia
avait obtenu cette trêve. Je soignais Rose, mais je venais
à Glass surtout pour parler avec Olivia. Elle me fascinait
tant. Je ne sais plus comment tout cela est arrivé. Je me
souviens que Prudence se tenait droite contre le mur de
verre. Nous étions dans le petit salon à discuter de l'état

tragique de Rose et de celui que nous appelions entre nous l'architecte. J'ai proposé d'en finir avec Aristide. Après tout, à son âge, une crise cardiaque était probable, et en tant que seul médecin de l'Île je signerais l'acte de décès. Personne ne réclamerait d'autopsie. Olivia a souri. Elle s'est levée, a sorti une cigarette d'un étui en cuir et l'a allumée. Je ne savais pas qu'elle fumait et visiblement Prudence non plus.

— Je fume parfois, ne faites pas cette tête !

Puis Olivia nous a demandé de sortir. Je franchissais la porte quand elle m'a retenu par le bras. Elle m'a souri une seconde fois, et cela m'a rappelé quand on se retrouvait à l'embarcadère avec nos envies de partir loin. Son visage sur ma joue, sa bouche à mon oreille, Olivia m'a murmuré :

— Fais-le.

Le soir même, je glissais un flacon de digitaline dans ma sacoche.

Olivia

Soixante-trois hivers viennent de passer. Cela fait
longtemps que nous ne fêtons plus rien avec Aristide.
Ni nos anniversaires ni le nouvel an, qui sonnent le glas
pour mieux nous rappeler que nous ne sommes rien l'un
pour l'autre, juste deux étrangers vivant sous le même
toit ne parlant plus la même langue. Nous nous évitons
la plupart du temps, Glass est spacieuse, je connais ses
heures : c'est un lève-tôt. J'apprends avec les somnifères à
me réveiller le plus tard possible. Prudence me monte un
petit déjeuner au lit : le premier repas sans sa présence.
Je le suis à la trace, son cigare me dit qu'il se terre à la
bibliothèque, je pars déjeuner au café de la Grand-Place,
une salade et un verre de vin me suffisent. Je remonte
lentement vers Glass, je prie pour qu'il soit parti faire une
longue balade et je regagne ma chambre. Il entre sans
frapper. Il tient à la main une dizaine de feuillets qu'il me
jette au visage. J'en attrape un et le parcours brièvement.
C'est une liste de factures à régler, toutes au nom de Luc
de Mortemer ; des créanciers de jeu qui se sont adressés au
juge le plus influent du Continent, celui-là même qui m'a
aidée pour Marnie, heureusement à l'école ce jour-là. Je ne
dis rien, je sais que le moindre mot est une étincelle à sa

colère. Pourtant, même s'il s'avance vers moi, sa démarche reste calme. Il garde les mains dans son dos. Elles surgissent au moment où je m'y attends le moins. Je ne suis jamais préparée à sa barbarie. Elles saisissent mes épaules et me repoussent violemment en arrière. Dans ma chute j'entraîne ma collection de porcelaine française, des oiseaux blancs délicatement faits, qui se brisent au sol, la tête tranchée par mon bourreau. Je cherche dans la paroi de verre le moyen de m'évader comme je l'ai fait de si nombreuses fois. J'imagine une fenêtre ouverte sur la mer, si proche que je peux m'y jeter sans craindre la chute. Je plonge sous l'eau bleue et tente de rejoindre le fond. Je ressens des coups sourds à hauteur de mes cuisses qui m'empêchent de nager. J'atteins le fond en coulant. Je refuse de ressentir la douleur, j'imagine l'eau masser mon corps endolori jusqu'à disparition de la souffrance. Je navigue entre les ruines d'un ancien temple où il lui sera impossible de me rejoindre. Aristide n'est pas un bon nageur. C'est sans doute pour cela que la natation m'est venue à l'esprit. Un endroit neutre où j'ai toujours été meilleure que lui. Je sais qu'il va me falloir remonter à la surface, mais je tiens bon. Je prends le temps d'admirer les ruines et de contourner leurs colonnes. Lorsque je refais surface, la main d'Aristide enserre ma gorge et m'empêche de reprendre mon souffle. Un rapide coup d'œil me permet de voir qu'il a saccagé tous mes bibelots sur les étagères. Je ne le remercierai jamais assez : il efface nos derniers souvenirs. Je promets d'être amnésique si je m'en sors. Les feuillets de Luc crament dans la cheminée. Ils dégagent l'odeur âcre du carbone. Mon chemisier est déchiré à plusieurs endroits, la bretelle de mon soutien-gorge a cédé, mes seins blafards ont été malmenés, ils portent l'ecchymose de ses poings. Ils me semblent aussi lourds qu'à la naissance de Luc. Je ne me protège pas, je laisse ma poitrine s'affaisser, je ne suis plus que ruines. Aristide a des chaussures à férets, je vois bien qu'il n'en a pas fini avec moi. Je profite d'un moment d'inattention quand ce salaud relâche mon cou violacé. La douleur est si vive que je la ressens jusqu'aux cordes vocales. Je serais bien incapable de parler, même si je le voulais. Je disparais mentalement par la même paroi de verre et tente de retourner aux ruines qui ont disparu. Un lac comme ceux que j'ai connus autrefois dans les Cantons-de-l'Est au Québec m'accueille en son fond. J'y rejoins Rose avec laquelle je parviens à faire plus d'un kilomètre sans reprendre mon souffle. Nous nageons l'une près de l'autre, au même rythme, sans être distraites par nos présences. Juste cette eau presque noire et fraîche qui me revigore. Jamais je ne suis restée aussi longtemps sans retourner à la surface. Mon bourreau me frappe avec ses souliers à férets si fortement que j'en saigne. Rose parfois tourne la tête et me conseille d'avancer. Réfléchir sous l'eau revient à prendre conscience de cette réalité que je fuis. Elle a raison. Nous nous frôlons parfois, j'aime sa peau contre la mienne qui me donne encore plus de force pour nager aussi longtemps. Puis Rose s'éloigne et je sais qu'il me faut quitter ce cocon liquide au plus vite. Des bruits sourds m'envahissent comme des acouphènes. Je manque d'air, je vais couler comme un sac de ciment. Je prends mon temps pour remonter, mes battements de jambe s'espacent, j'aperçois tout en haut la lumière qui me ramène à Glass. Je découvre aussi l'étendue du désastre. Mes meubles sont renversés tout comme la coiffeuse, les peignes et les brosses en argent gisent sur le parquet brisés par ses talons. Tous mes objets ont été saccagés avec obstination, il n'en reste que de nombreux débris. Aristide a même découpé aux ciseaux certains vêtements, ceux que je mettais autrefois quand nous donnions encore des dîners à Glass, avant la naissance de Luc. Je ne le remercierai jamais assez de détruire tout ce qui nous sépare *de facto*. Je suis allongée dans tout ce fatras. Mes deux jambes me font atrocement mal, j'y découvre des ecchymoses de la taille d'une balle de golf. Je suis à moitié nue, j'ose à peine imaginer Rose ou Marnie me découvrant ainsi. Du sang coule de mon front à mes lèvres, je m'essuie d'un revers de la main. Aristide a déjà quitté la pièce. Je sais que Prudence va arriver d'une minute à l'autre. Je décide en cet instant d'en finir avec mon mari. Je ne suis pas pressée, je dois réfléchir à l'avenir de Marnie et ne pas me précipiter. Une chose est certaine, Géraud en fera partie. J'ignore encore qu'Aristide ne lèvera plus la main sur moi. Mon abnégation l'a enfin vaincu. Il comptait me faire payer ces factures au centuple. Elles ont fini au feu et je viens de gagner ma survie grâce à Rose. Je comprendrai plus tard que nos deux forces se sont additionnées pour mieux terrasser celui que Manos a surnommé le Grizzli. Jamais il ne s'est enfui aussi vite. Prudence entre dans la pièce, marque un temps d'arrêt et dit juste :

— Oh, madame !

Je demande à Prudence d'appeler Géraud. Elle tente de remettre de l'ordre dans cette pièce. Je lui suggère d'aller chercher des sacs-poubelle et de me débarrasser de tout ce qui a été brisé, je ne tiens pas à recoller tout ce passé nauséabond. Je perds conscience un long moment avant d'ouvrir les yeux sur Géraud. Il prend mon pouls, ma tension, me prodigue les premiers soins. Il bougonne :

— Il n'y est pas allé de main morte.

« La main morte » m'arrache un sourire. Nous avons à la cuisine toutes sortes de plantes qui déciment les rats. Elles devraient bien achever le pire de tous. Il m'a fallu sept ans avant de me décider à le tuer. Chaque fois que je le croisais à Glass, je jouissais de ces derniers instants. Je n'avais plus peur de lui, le supprimer suffisait à me libérer de toutes ces années où je me croyais morte. Je n'avais plus Rose à mes côtés et je le regrettais. Elle m'avait permis d'arracher ce corset qui m'étouffait. Je lui devais bien plus que la mort prochaine d'Aristide. Rose m'avait tout simplement ouverte à la vie.

À soixante-trois ans, il était temps.

Côme

J'ai demandé à l'évêque du diocèse d'être muté. Je sais combien la nature humaine est surprenante, et je ne suis pas certain qu'ailleurs ce soit mieux. Je pensais finir mes vieux jours ici, sur cette Île dont les paysages m'enchantent. Mais je ne peux plus croiser Olivia de Mortemer sans ressentir un malaise qui me ferait perdre la foi si je ne résistais pas autant. Une vieille femme élégante et raffinée qui nous connaît tous. En réalité, une reine de glace sur cette Île soumise aux tempêtes. Je passe sur les plaintes déposées par des habitants de l'Île contre Luc, puis Marnie, qu'elle a balayées d'un chèque que personne ici ne peut refuser. Encore heureux que Luc n'ait pas laissé quelques bâtards dans les fermes où les agressions se sont déroulées. Marnie refuse de mettre les pieds dans la maison de Dieu sous prétexte qu'il n'entend rien à la souffrance – je l'ai entendue crier de la sacristie le jour où sa pauvre mère est morte. J'avoue comprendre les parents à l'école qui viennent me voir pour signer une pétition souhaitant son départ. De nombreuses signatures qui n'ont jamais atteint leur but, l'école appartenant à sa grand-mère. Les filles sont terrorisées, les garçons ont planqué tous les instruments tranchants. J'ai essayé d'en parler avec

Aristide de Mortemer, un architecte renommé qui a conçu cette incroyable maison de verre et d'acier. Il est venu à l'église et, pour toute réponse, m'a frappé si violemment au ventre que j'en ai perdu connaissance. Puis il a cessé de prier le dimanche et j'avoue que j'ai évité par la suite de le croiser lors de mes promenades. Quand Olivia de Mortemer a désiré me parler, j'en savais autant que n'importe quel habitant de l'Île. Ses confessions sur plusieurs années ont provoqué en moi un véritable séisme. Je suis écartelé entre la foi, le pardon et l'envie furieuse de la dénoncer. Naturellement, je suis tenu au secret par ma profession de prêtre. En tant qu'homme, je serais allé voir la police sur le Continent pour tout leur raconter. Olivia de Mortemer nous a manipulés, Géraud et moi. Aucun de nous deux ne peut la trahir. L'un a tué Aristide de Mortemer, l'autre se taira à jamais. Je sais que Géraud l'a fait par amour. Il me l'a confié récemment. Pauvre homme mené par le nez, bientôt père sans le savoir par cette fleuriste sauvageonne qui n'en désirait pas davantage. Elle aussi est une habituée du confessionnal. Olivia de Mortemer, c'est autre chose. Bien sûr, je condamne cette violence insoutenable dont elle a été victime. C'est abominable. Mais je m'interroge davantage quant à sa morale devant Dieu. C'est simple, elle n'en a aucune. Certes, ses donations au diocèse sont très généreuses, et grâce à cela nous avons pu refaire le toit de l'église et restaurer tous ses vitraux. Je ne peux me plaindre auprès de ma direction qui jugerait sûrement cela très déplacé. Je n'ai plus qu'à changer de poste ou me jeter des falaises. J'y ai songé plus d'une fois en écoutant Olivia de Mortemer se confesser. J'ai cru tendre l'oreille au diable, et je me suis repris. Je suis comme la plupart des hommes de cette Île, j'ai des doutes, des attirances que je dois taire, je suis humain avant d'être prêtre, mais je reviens toujours sur le droit chemin. On ne peut pas en dire autant de tous les vivants de cette Île. Personne ne me fera dévier, et certainement pas les Mortemer. J'ai une foi quasi inébranlable, à condition de ne pas rester davantage sur cette Île. Si le diocèse me refuse un nouveau poste, je serai capable d'abandonner l'habit de prêtre pour celui d'un homme cherchant un nouvel emploi sur le Continent. Et là, plus rien ne m'empêchera de me rendre au poste de police.

Lola

Je travaille sur le port du Continent depuis trente ans, quelques mètres sur le quai que j'arpente en talons hauts et petites robes à pressions, faciles à retirer. Avec l'âge, je suis devenue difficile, je ne fais plus grimper n'importe qui chez moi. Surtout les marins qui la plupart du temps sont ivres, quand ils ne sont pas fauchés. Ils veulent souvent venir à plusieurs, comme si je pratiquais des tarifs de groupe. On me dit belle, bien faite encore, docile et endurante. J'ai été l'amante, la maîtresse régulière, la mère, la bonne copine, la sœur ou l'infirmière de tous ces hommes qui sont venus à moi par centaines. J'ai cessé de les compter depuis longtemps. J'ai aimé deux d'entre eux. Heureusement à des époques différentes, je sais être discrète quand il le faut. Un père et son fils, élégants de surcroît, très généreux, surtout le vieux. J'ai rencontré Aristide à la terrasse d'un café, et Luc au casino où je vais jouer de temps à autre à la roulette. C'est un excellent terrain de chasse, à condition de ne pas se faire repérer. Je débutais sur le Continent quand j'ai connu Aristide. Cet homme n'était pas heureux dans son couple. Il jugeait sa femme froide et distante, dans la vie comme au lit. Je sais faire parler les hommes. Il faut être attentive, pas trop curieuse, et ne jamais les interrompre. Aristide pouvait se montrer violent, mais je tenais à le garder. C'est lui qui m'a offert l'appartement dans lequel je vis aujourd'hui. Je lui ai appris ses limites. Je pratique des sports de combat depuis ma jeunesse, les arts martiaux et la boxe anglaise. Quand on fait mon métier, il faut savoir se défendre. Avec Aristide, cela m'a été très utile. Je savais le rappeler à l'ordre quand il allait trop loin. Je crois que nos combats lui plaisaient. Je l'immobilisais entre mes cuisses ou le frappais au plexus solaire, ce qui lui coupait aussitôt la respiration. Aristide avait fréquenté des prostituées dans toutes les villes où ses valises le suivaient. Une femme comme moi sait qu'il ne faut rien attendre d'un homme comme lui. Je ne lui faisais jamais part de mes sentiments, même quand il l'exigeait au paroxysme de nos ébats. J'ai toujours pensé qu'il aimait sa femme, quoi qu'il en dise. Après tout, il ne l'a jamais quittée. En la frappant comme il nous cognait toutes, il lui était impossible de revenir en arrière. Le mal était fait. J'ai même envoyé une lettre anonyme à sa femme au tout début de notre histoire en lui écrivant de retourner en Afrique comme les putains de son genre. La putain, c'était moi. Son genre à elle n'avait rien de comparable au mien, comme je m'en suis rendu compte plus tard. J'étais jeune et jalouse, je pensais qu'Aristide de Mortemer plaquerait tout pour sa putain. Pendant près de quinze ans, il a payé l'exclusivité de m'avoir à lui seul. Il pouvait débarquer à n'importe quelle heure du jour ou de la nuit, j'étais prête à me battre et à l'aimer. Nous ne sortions jamais. Aristide connaissait trop de gens sur le Continent. Je nous faisais livrer des plats cuisinés que nous prenions au lit, ou au salon, assis en tailleur sous la table en verre. Aristide aimait la simplicité en dehors de ses perversions. Je n'ai manqué de rien avec lui. Vivre à l'attendre a rempli mes placards de vêtements luxueux et de bijoux que je portais nue en sa présence. Je glissais à mon poignet le bracelet d'émeraudes et la montre Hermès, je parais mon cou de perles grises qu'il arrachait souvent et remplaçait par la suite. J'en ai rempli tout un vase qui trône encore dans mon entrée. Après quelques années, où il lui arrivait de ne pas venir pendant plusieurs mois, j'ai fini par me rendre sur l'Île. Je n'avais pas l'intention de frapper à sa porte. Je savais ce qu'il venait chercher auprès de moi, ce que sa femme lui refusait depuis qu'il avait levé la main sur elle. Certes, il me battait aussi, mais nous en avions fait un jeu où il n'était pas toujours gagnant. Je m'offrais à lui sans complexes. Aristide devenu père, il me parlait davantage d'Olivia. Il était malheureux de la tournure qu'avait prise sa vie. Je crois qu'il aurait donné toute sa fortune pour remonter le temps. Je n'ai pas eu de mal à trouver la maison de verre et d'acier. Je ne sais même pas ce que je venais faire dans ce trou. La campagne me déprime totalement. J'ai aperçu deux femmes ensemble et un garçon qui faisait des galipettes dans l'herbe. L'une m'a paru laide, tout en noir, elle parlait au garçon, mais de là où je me cachais, dans un talus d'herbes hautes, je n'entendais rien. L'autre était indéniablement Olivia de Mortemer. Elle portait une robe ivoire, cintrée à la taille par une cordelette, et un chapeau en paille à large bord qu'elle tenait souvent d'une main. Le vent m'avait surpris sur cette Île où je venais pour la première fois. Ma jupe s'était plus d'une fois soulevée en montant jusqu'ici. Et tandis que je l'observais, il m'a semblé qu'elle regardait dans ma direction. Quand la noiraude en a fait autant, j'ai déguerpi rapidement, le cœur battant. Elle avait tout ce que je n'aurais jamais, la véritable élégance, la maîtrise de soi et une beauté racée qui me renvoyait à ma jeunesse tourmentée et pauvre. Il ne suffit pas de porter des vêtements de luxe pour être élégante, et j'ai laissé les miens plus souvent dans la penderie, tout comme les bijoux que je n'aimais enfiler que nue. Les absences prolongées de mon protecteur ont fini par m'ennuyer. J'ai repris mon carré sur le quai, malgré ma promesse. Je pensais souvent à cette femme très belle que j'avais un jour traitée de putain. Je mesurais combien ma vie avec Aristide était vaine. Jamais je n'aurais pensé une chose pareille si je ne m'étais pas rendue sur l'Île. Nous nous revîmes pourtant, une dernière fois, tandis qu'un pâtissier s'affairait en moi. Aristide en fut témoin, il avait les clés, et sa crise de jalousie fut si violente que je dus appeler la police. Aristide prit la fuite et, en vertu du passé et de l'appartement offert, je ne donnai aucune suite. La peur du scandale me priva définitivement de nouvelles d'Aristide jusqu'à ce que Luc plus tard m'annonce sa mort. Le vieux était retourné auprès de sa femme que je plaignais malgré moi. Quelques années plus tard, je rencontrai leur fils, Luc de Mortemer. Il était souvent ivre, mais il se dégageait de ce jeune homme un charme fou. Je crois avoir été plus une mère pour ce gamin qu'une amante, même si nous faisions souvent l'amour ensemble. Sa négligence me plaisait, tout comme cette tignasse jamais coiffée et sa bonne humeur quand il buvait trop. Lui aussi aimait sa femme, il m'avait prévenue dès la première nuit qu'il n'y aurait rien d'autre entre nous. Comme les hommes sont enfantins parfois. Le destin passe son temps à se jouer de nous. Rien n'est acquis, ni la vie qu'on se construit, ni l'amour qu'on s'est promis pour toujours. Je m'en suis bien gardée, je ne fais pas un métier où tomber amoureuse est une priorité. Je suis payée pour satisfaire les hommes ; il m'est souvent arrivé de les consoler sans qu'ils me touchent. D'autres sont des amants parfaits, jusqu'à ce qu'ils s'enfuient aussitôt l'affaire conclue. Luc était différent. Un chien fou sans laisse et sans maître. Tout ce qu'il entreprenait s'effondrait

comme un château de cartes. Il changeait d'avis sans cesse
et sur tout. Sauf sur Aristide qu'il détestait profondément.
Il reprochait à son père d'être radin avec lui, et violent
avec sa mère. J'acquiesçais, tout en lui suggérant de s'y
prendre autrement avec son paternel. Il me répondait :

— On voit bien que tu ne le connais pas !

Je parlais d'autre chose afin de le détourner d'un doute,
mais il revenait sur Aristide qui l'empêchait d'être heureux. Tout ce que j'apprenais sur son père ne m'étonnait
guère. Certes, je n'ai jamais eu à me plaindre de sa géné-
rosité, je sais par expérience que les amants satisfaits sont
plus généreux à mon égard qu'avec leur famille. Tous
ces hommes dans mon lit m'ont aguerrie au monde dans
lequel je vis. Un médecin, un certain Delorme, s'est confié
à propos des morts qui le hantent chaque nuit, tous ceux
qu'il n'a pas pu sauver et qui l'obligent à se tenir éveillé.
Je l'écoutais longuement jusqu'à ce que son désir en moi
le libère enfin de tous ces défunts. Luc était un ange, un
homme qui avait oublié de grandir. Je portais toujours les
bijoux d'Aristide qui excitaient mes clients et intriguaient
parfois l'homme au cabriolet.

— C'est drôle tu sais, mère a les mêmes !

Je souriais. Je pensais au chapeau de paille qu'elle retenait d'une main. Je m'en suis acheté un. Quand j'ai vu
mon reflet dans le miroir, je l'ai jeté à la poubelle. Je
n'avais aucune allure ; je m'étais coiffée d'une cloche à
fromage. Luc voyageait beaucoup, il me laissait des mois
sans nouvelles. Comme son père autrefois. Je ne lui en
voulais pas ; je n'attendais pas grand-chose de lui. Puis
il réapparaissait avec des cadeaux que je ne pouvais pas
échanger ; des vêtements trop grands pour moi, achetés
à l'étranger. Je les entassais dans la penderie à côté de
ceux d'Aristide. L'histoire semblait se répéter, Luc était
devenu père à son tour. Nous allions parfois au casino

ensemble, mais nous n'étions pas aux mêmes tables. Luc misait gros, sa vie en dépendait. Je le ramenais ivre dans la petite maison aux volets bleus que lui avait achetée sa mère. Une partie de la nuit, il soliloquait sur Rose, l'amour de sa vie. Je l'abandonnais à ses fantômes et retournais chez moi. Être père ne l'a pas ébranlé, seule la maladie de Rose a bouleversé le fragile équilibre. L'amour n'a rien d'immortel, Luc venait juste de le découvrir. Un matin, il a déposé sur mon lit une mallette pleine de billets gagnés au casino. Son passeport pour l'étranger auquel il renonçait, à cause de Rose.

— Toi, tu peux partir, tu n'as aucune attache ici.

Partir où ? Sur un autre Continent à la recherche d'un carré sur le quai ? Non, merci. J'ai pris la mallette. Une putain ne refuse jamais l'argent qu'on lui donne. J'ai repris le chemin de l'Île, poussée par une vilaine curiosité. À la descente du ferry, une gamine m'a abordée et m'a demandé où j'allais. J'ai souri en évoquant une maison tout en verre. La môme avec un air buté m'a indiqué une direction opposée. J'ai fait mine de suivre son chemin, puis je suis revenue sur ses pas. Je laissais une distance assez longue entre elle et moi, et elle ne se retourna pas une seule fois. Elle marchait d'un pas vif, nous prenions la même direction. Je suis restée à hauteur des herbes hautes, quand elle a rejoint Olivia de Mortemer, au bras d'une femme au teint pâle qui l'a aussitôt prise par la main. J'avais face à moi la femme d'Aristide, puis celle de Luc et leur enfant. Une fois de plus, j'ai pensé à la beauté de ce monde que je tenais à portée de regard. La photographie d'un bonheur fugace qui ne serait jamais le mien. J'ai fui cette Île en plaquant les mains sur ma robe courte et en courant vers le ferry. Je savais que je ne reviendrais plus épier les Mortemer. J'ai su par le médecin que Rose était morte, peu avant Luc. Je ne peux pas croire qu'il s'agisse d'un accident. Je suis certaine qu'il s'est jeté avec son cabriolet des falaises, pour rejoindre sa femme sans qui il n'était rien. J'ai repris ma vie de putain. Je sais que les Mortemer ont ouvert une brèche dans mon esprit obtus. Je n'ai rien d'une sentimentale. Les hommes se couchent sur moi et se révèlent comme ils sont. Souvent des porcs, rarement intéressants. Depuis les Mortemer, j'ai une vision de l'amour tout autre. Je sais que je plais encore. Il n'est peut-être pas trop tard.

Marnie

J'ai dit à grand-mère que j'étais tombée amoureuse de Vincy. Elle n'a pas cherché à en savoir davantage. *Tombée amoureuse.* Une chute vertigineuse. On marchait ensemble le long des falaises, le soleil se couchait, Olivia observait les couleurs du ciel. Je n'ai jamais eu le goût d'aller voir ailleurs. J'aime Glass et Vincy. J'aime le bleu là-haut qui entre avec ma permission. J'aime le jaune orangé du soleil qui inonde toutes les pièces dont je n'ai jamais cherché à connaître le nombre. J'ai pris grand-mère par le bras et je lui ai promis de ne jamais quitter cette Île.

— Je ne t'ai jamais demandé une chose pareille, a bougonné gentiment Olivia.

J'ai répliqué que je le savais, mais que je n'avais pas envie de voyager.

— Et si Vincy te le demande plus tard ?

Ce n'est quand même pas les hommes qui vont décider pour nous. Et puis Vincy n'en est pas encore un. J'ai fait la moue.

— Rien ne m'oblige à te répondre maintenant, j'ai dit.

Prudence au loin sortait les courses du coffre de sa voiture. Elle a levé sa main et grand-mère a hoché la tête. Un jour, je sais, grand-mère ne sera plus là, et je devrai m'habituer à Prudence. Olivia m'a dit qu'elle veillera sur moi et tout l'argent qui m'attend pour mes dix-huit ans. Je serai riche. Je ne sais même pas ce que ça veut dire. Sinon que je ferai tout ce qui me plaît sans ne jamais dépendre de qui que ce soit. Moi la bâtarde, deux fois orpheline. La menteuse, la curieuse, la petite rousse qui ne se laisse pas faire et rencontre le plus merveilleux des garçons en lui plantant un compas dans le ventre. Je promets à grand-mère d'écouter Prudence et d'apprendre à l'aimer. Je sais que ce n'est pas une mauvaise personne. Je lui ai même inventé une fille, Jane, qui lui aurait fait le plus grand bien pour de vrai. J'avoue, j'étais là aussi le soir du meurtre de papa. Je m'habituais à l'obscurité pour mieux découvrir les contours des meubles de la bibliothèque. J'étais Jane. J'ai suivi Prudence quand elle est entrée dans le salon pour en ressortir avec un verre à la main. Intriguée, je me suis rapprochée du mur de verre, mais je n'arrivais pas à atteindre l'angle sous le toit. Je suis sortie et je l'ai vue traîner le corps de papa sous la pluie jusqu'à son cabriolet et pousser la Jaguar XK 120 jusqu'aux falaises. Après tout, c'était un papa pour de faux qui nous a fait beaucoup de mal à toutes. Je me suis cachée dans la remise du bois et j'ai attendu bien après l'explosion avant de me balader sous la pluie. J'avais envie de respirer le vide, comme on sent un parfum d'encens. Je n'ai pas peur. Je n'ai jamais eu peur de rien. J'ai marché le long des falaises. Quand il pleut, les odeurs de la terre remontent. J'ai senti mes narines frémir. J'ai laissé la pluie couler sur moi, me laver tout entière. Je marchais les baskets à la main. Les cailloux sous la plante des pieds ne me faisaient même pas mal. J'ai tourné plusieurs fois sur moi-même sans perdre l'équilibre, et j'ai levé mes bras haut vers la lune un peu voilée. Une danse du ciel que j'ai apprise seule, depuis que maman est morte. Puis j'ai atteint ma crique où je suis seule à me rendre. J'ai retiré tous mes vêtements qui me collaient à la peau et je me suis baignée avec les gouttes qui chutaient, étincelantes, tout autour de moi, et la mer furieuse qui tanguait comme un bateau. Je suis une bonne nageuse et ce n'est pas un orage qui va me noyer. Rose m'a écrit : *L'amour est ce que tu as de plus précieux à offrir.* J'y ai longuement réfléchi. Je compte bien me marier avec Vincy dès que possible. Et surtout avant que grand-mère ne disparaisse. Je sais que le temps nous est compté.

Note de l'auteur

L'idée de ce roman est venue après une relecture de *La Maison biscornue* d'Agatha Christie où j'ai emprunté le prénom d'Aristide, la digitaline et sans doute un zest de suspense. Puis à la découverte de ces maisons de verre et d'acier construites dans les années soixante en Californie par des architectes, profession de mon père. Je remercie Vincy Thomas et Géraud Delpont de m'avoir prêté leurs prénoms, Tatiana de Rosnay et Janine Boissard d'avoir été mes premières lectrices et de m'avoir donné l'une et l'autre d'excellents conseils. Merci aussi à Hugues Morette pour ses yeux de lynx malicieux. Je dois à Anna Pavlowitch d'avoir agrandi la chorale des narrateurs et à Grégory Berthier-Gabrièle de m'avoir appelé un soir pour me dire tout le bien qu'il pensait de ce roman et de m'accueillir à nouveau chez Plon, quinze ans après *Autobiographie d'une Courgette*. J'y ai découvert le nouveau patron, Vincent Barbare, dont j'emprunterai sûrement le nom dans un prochain roman, et Florence Maletrez qui fut ma voisine de table dans un dîner mémorable à Francfort. Une mention amicale à Nathalie Chambaz qui entre dans ma famille. Quant à Laurent C. devenu pour la première fois Laurent P. dans ce livre (nous sommes mariés depuis trois ans), je ne cesse d'admirer l'inspiration qu'il m'apporte à chaque nouveau roman et tout ce temps qu'il m'offre pour que ce soit réalisable.

Imprimé en France par CPI
en avril 2017

pour le compte des Éditions Plon
12, Avenue d'Italie 75013 Paris

Composition réalisée par FACOMPO, LISIEUX

N° d'impression : 141086
Dépôt légal : avril 2017